D0121041

46/38

GUERRE ET POIDS

VÉRONIQUE GENEST

46/38

GUERRE ET POIDS

À mon charcutier, mon boucher,
ma boulangère et ma crémière,
à la Maïzena au chocolat de ma grand-mère,
sans lesquels ce livre n'aurait jamais existé.

Véronique Genest

CETTE FOIS, C'EST DÉCIDÉ !

— J'ai arrêté de fumer.

— Depuis quand ?

— Depuis dix-huit kilos !

Oh, là, là ! C'est pas vrai ! Comment ai-je pu me laisser aller à ce point ?

Bon, OK, je n'ai jamais été une sylphide, j'ai même atteint quelques sommets quand j'étais enceinte, au point que, quinze jours après mon accouchement, la pharmacienne me demandait encore : « C'est pour quand ? »

Mais comme ça, jamais.

Ils sont sympas mes potes, qui pour me consoler me rappellent combien il est merveilleux que je ne fume plus. Que c'est déjà formidable.

Sauf que j'en connais plein, moi, des filles qui ont arrêté et ne se sont pas transformées en mammouths.

Certes, elles n'avaient pas remplacé la cigarette par le saucisson.

Mais qu'est-ce que vous voulez, moi, il faut que je compense. Ça en devient compulsif.

J'ai beau me faire des promesses à n'en plus finir, comme « Je mange avant le cocktail comme ça je ne me jetterai pas sur les petits-fours », ce sont des menottes dans le dos qu'il me faudrait pour que je tienne bon. Et encore, je suis capable de me transformer en Houdini pour y goûter, rien qu'un peu.

Pourquoi suis-je née avec un four à la place de la bouche ?

Durant quelques années dans mon enfance j'ai été maigrichonne à cause de mon appendice qui me travaillait et me coupait l'appétit, et il a fallu que l'on me l'enlève...

Un an, treize kilos et quelques vergetures plus tard, je rentrais dans l'adolescence et commençais le lourd apprentissage des privations.

Quelle injustice ! Et savoir que je ne suis pas la seule n'arrange rien.

On est née à une époque où la règle c'est la minceur et on a beau crier qu'on ne mange pas de ce pain-là, on est bien forcée d'y passer.

— Bonjour, madame, puis je vous aider ? me demande la vendeuse en m'approchant dans son 36 fillette.

— Euh ! Oui, je tente sans trop y croire. J'aimerais essayer la petite robe, là.

— Bien sûr, vous faites du combien ?

Le calvaire commence.

— 42 ou 44, ça dépend comment vous taillez.

On n'ose pas dire 46, avec le secret espoir qu'on n'y est pas encore, et on s'entend répondre :

— Désolée, mais on s'arrête au 40.

Mais comment fait-on quand on a des fesses ? On est condamnée à s'habiller chez la femme forte ?

Et chez les Italiens, c'est pire, ils vous font du 46 qui correspond à du 42. Vous vous voyez en train de commander du 52 ? Ça n'existe même pas !

Donc, soit on se cache, soit on maigrit. Ou on essaye...

Moi ça fait trente ans que je m'y emploie.

À vingt ans, c'est pas trop dur on perd vite. À trente, ça va encore, mais passé quarante balais, c'est plus le même topo.

Normal, disent certaines personnes qui ont tôt fait de vous enfermer dans la préménopause.

Alors quand on vieillit, on est forcée de devenir grosse ? J'ai quand même beaucoup de mal à accepter cette idée.

— Allez ! Tu as fait un régime de protéines la dernière

fois et ça avait bien marché, me rappelle une bonne copine.

— Oui mais le deuxième n'a pas fonctionné et je me suis retrouvée avec trois kilos de plus qu'avant de l'avoir entamé.

— Alors retourne à Quiberon ou dans une thalasso.

— Je n'y crois plus trop, à chaque fois je reprends tout.

Et tout le monde y va du dernier truc à la mode. « T'as essayé le régime dissocié du Dr Chose ? La soupe du Dr Machin ? La cure de fruits ? Et la cure autonettoyante à base de poisson et d'asperges ? Et... »

Arrêtez ! Oui, j'ai tout essayé. Et je n'en peux plus de passer ma vie au régime ! C'est trop dur !

D'ailleurs ça devient carrément infernal, plus je suis au régime, plus je grossis. Je déprime trop.

Tiens, ça fait trois semaines que je ne mange presque rien.

Au bout de la première semaine, je me suis pesée : pas perdu un gramme. Deuxième semaine : trois cents grammes. C'est peu. Combien va-t-il me falloir de temps pour perdre mes dix-huit kilos ?

Et merde, je meurs d'envie d'un petit bout de pain et de fromage, je ne vais pas en mourir. Demain je compenserai.

Troisième semaine : jour J, je me repèse : j'ai pris un kilo.

Oh non !

Je craque. Et vlan, trois de mieux.

Ça ira mieux demain. Je m'y remets mais je ne

comprends plus : je ne perds plus un gramme et je ne mange rien.

Mes pantalons me boudinent, je refuse d'en acheter d'autres.

La balance s'est envolée dans des sphères inavouables. Je ne veux plus me peser. Je ne veux plus sortir, plus voir personne.

Ma dernière apparition à la télé me terrifie, on dirait ma grand-mère.

— Va à Brides, me souffle Meyer, mon mari, pour la énième fois.

Brides ? Brides... Ça me dit quelque chose... Oui bien sûr ! C'est Dominique Besnehard, mon ex-agent et néanmoins ami, qui m'en a parlé.

C'est bien gentil, mais je ne meurs pas d'envie de partir seule en cure à Brides ni nulle part ailleurs. Je vais me faire suer comme ce n'est pas permis, et puis il y a mon fils, je ne me sens pas le droit de le laisser pendant trois longues semaines.

— Pourquoi tu me regardes comme ça, Meyer ?

Bon, t'as gagné. Je jette un œil sur mon agenda.

J'ai bien un créneau de libre, mais seulement pendant quinze jours.

C'est mieux que rien ? D'accord, j'appelle.

— Oui bien sûr, me répond une voix charmante. Vous pouvez ne rester que quinze jours.

Alors soit, je réserve. J'arrive.

– I –

VOUS NE MANGEZ PAS TROP :
VOUS MANGEZ MAL !

Brides, c'est dans la montagne mais pas très haut, au pied de Méribel, dans une jolie vallée.

La ville en elle-même n'a rien de folichon, mais les alentours ont l'air sympathiques.

Un torrent traverse le bourg et tout de suite on respire mieux.

Je prends possession de ma chambre avec vue sur la nature. Je ne vois d'ailleurs pas sur quoi d'autre elle pourrait avoir une vue puisqu'il n'y a que de la verdure autour.

La nature, ça me va, j'aime bien, mais les chambres d'hôtel, je n'aime pas. Il y a des gens qui en raffolent, moi je n'y trouve pas ma place, rien ne m'y ressemble, je m'y sens mal et ça me fout le cafard. C'est peut-être pour ça que je ne me suis jamais décidée à partir en tournée.

Le seul hôtel où je me suis toujours sentie bien, c'est le Normandy, à Deauville. J'y allais chaque année pour le festival. Je pense que c'est parce que le patron avait su lui donner une note familiale. Quand vous arriviez, vous aviez l'impression que vous reveniez dans votre maison de campagne et qu'on n'attendait plus que vous pour commencer la fête. Ça devait être un boulot énorme de se rappeler chaque visage, chaque nom et surtout les manies de chacun. La façon dont on aimait les œufs du petit déjeuner ou la façon qu'on avait de ranger telle ou telle chose.

Je parle au passé car je n'y suis pas retournée depuis que le patron a changé. C'est sûrement très bien, mais je suis tellement affective que ça me fait comme si je retournais dans une maison que nous habitions et qui aurait été vendue. Stupide, non ? Mais bon, on ne se refait pas.

Faisons un peu de bordel, ça sera plus personnel.

Ce sera vite fait, je n'ai presque rien emporté. Je sors mes quelques fringues de mon petit sac, mon ordo, un bouquin et je vais déjeuner.

J'arrive dans une immense salle de restaurant très haute de plafond donnant sur une grande cour. Ce doit être très agréable en été quand la terrasse est dressée, mais là c'est assez froid et impersonnel.

Il n'est pas très tard, pourtant toutes les bonnes tables près des fenêtres sont déjà prises.

Il y a quantité de personnes seules, comme moi. C'est triste de manger seul !

— Peut-on se faire monter le repas dans la chambre le soir ?

— Bien sûr.

Cool...

On m'apporte la carte.

— Ah bon, ce n'est pas un menu ?

— Oui et non, on doit choisir entre deux entrées, deux plats, et deux desserts.

— Il y a des desserts ? Trop bien !

— Ça dépend, dit le serveur. Vous avez vu la diététicienne ? Vous êtes à combien ?

— Je suis toute seule.

— Je veux dire combien de Calories ?

J'avais compris, mais j'essayais de faire de l'humour et c'est le bide.

— Je ne sais pas encore, je viens d'arriver !

— Dans ce cas, comptez un repas à 1 200 Calories et vous verrez avec elle après ! Ou bien je lui dis de passer vous voir tout de suite ?

— Non, non, ne la dérangez surtout pas, je la vois cet après-midi, 1 200 Calories ça ira.

C'est déjà pas énorme, pour peu qu'elle me réduise encore, je le saurai bien assez tôt. Je ne suis pas archi-pressée de commencer, moi.

Donc, à ma calculette. Je vais voir ce que font 1 200 Calories. En tout cas sur le papier, ça sonne bien. Salade niçoise revisitée et picatta de veau à la tomate fraîche, timbale de riz créole et flan à la vanille. Tout ça ! C'est énorme !

— Non, dit le serveur en m'apportant mon entrée.

Ah ! En effet ! Il va falloir revoir mon idée sur les portions.

Et faites voir un peu le veau ?

D'accord !... Cent grammes de viande, c'est pas beaucoup.

Je vais manger doucement pour faire durer le plaisir parce que c'est bon, mais alors bon !

Ce n'est pas possible que ce soit aussi bon et aussi peu calorique.

Dans la seconde, j'entrevois la possibilité de débaucher le cuistot pour mon compte ou de le faire épouser par une copine pour l'avoir sous la main en permanence.

Quelle inventivité !

Heureusement, j'ai mangé léger, car, dans très peu de temps j'ai rendez-vous chez la diététicienne et j'appréhende la pesée. Je me prends à rêver d'avoir miraculeusement perdu quelques grammes pendant le voyage.

« Pour ça, ma belle, il aurait fallu que tu viennes à pied », me murmure la balance en affichant un kilo de plus qu'à la maison. Oh la méchante !

La jolie diététicienne toute mince comme une pub vivante regarde ses papiers, me pose quelques questions sur mon passé, ma façon de vivre, le pourquoi du comment j'en suis arrivée là.

Je lui sors mon laïus.

— Moi, vous savez, des diététiciennes, j'en ai vu... La diététique, ça me connaît. Je grossis parce que je mange trop, un point c'est tout.

— Non, vous grossissez parce que vous mangez mal.

« Oui, je sais, on me l'a déjà servie celle-là aussi », me dis-je dans mon fort Boyard intérieur.

— Moi, tout ce que je veux, c'est perdre mes dix-huit kilos et vite. Oui, oui, vous avez bien entendu, dix-huit ! Vous pouvez faire ça pour moi ou pas ?

Elle a compris que tant que je n'aurai pas satisfaction, je resterai sourde à tous ses conseils et se contente de me rédiger un régime pour le restaurant diététique de l'hôtel.

De toute façon, je suis braquée. Tellement sûre que tout cela ne me mènera à rien.

De nouveau dans ma chambre, j'étudie les feuilles que la muse de la diététique m'a confiées. Je m'y perds un peu dans tous ces conseils.

Il n'y a pas plus simple ?

— Si, si ! me dit le bon docteur avec lequel j'ai pris rendez-vous par l'intermédiaire de Dominique Besnehard et que je vois l'après-midi même. Ce n'est pas compliqué, m'assure-t-il. Je vais vous démarrer pendant trois jours avec un régime à base de protéines. Mais pas des sachets, des protéines animales, précise-t-il au vu de ma moue dubitative... Puis je vous passe à un régime à 1 000 Calories pendant le reste de votre séjour, et ensuite on se revoit.

Là-dessus, il me donne un petit livret où est expliqué ce que je dois manger au cours de ces repas, avec quelques équivalences.

- 20 cl de lait écrémé = 100 g de fromage blanc = 1 yaourt 0 % = 50 g de jambon blanc = 1 œuf.
- 100 g de viande maigre = 75 g de jambon blanc = 120 g de volaille = 150 g de poisson = 2 œufs.
- 40 g de pain blanc = 50 g de pain complet = 3 biscottes = 2 tranches de pain de mie (30 g) = 100 g de riz, de pâtes, de semoule ou de légumes secs cuits.
- 1 fruit moyen = 250 g de melon ou de pastèque = 150 g d'orange, pamplemousse, mandarine, abricot, pomme, poire, pêche, prune, ananas = 100 g de raisin, cassis, cerises, brugnon = 75 g de banane.
- 10 g de beurre = 20 g de beurre ou de crème allégés = 1 cl d'huile.

— Et je vais devoir me trimballer avec une balance pour tout peser ?

— Mais non, vous le faites une fois et puis vous aurez vite le compas dans l'œil.

Aïe ! Je ne préférerais pas, non ! Cette expression m'a toujours fait mal.

— Et puis, poursuit-il, il faut savoir qu'un fruit moyen, c'est par exemple une pomme et trois petites prunes ou d'autres fruits de ce calibre, et que cent grammes de féculents cuits, c'est quatre cuillerées à soupe. Dix grammes de beurre, c'est une cuillerée à café.

Oui, bon, ça va ! Mais 1 000 Calories, ce n'est pas lourd, faut être hyper motivé ! Et pour l'instant je ne vois rien de très différent de tout ce que j'ai connu avant.

Il faut se priver, quoi !

Rien que d'y penser, je suis découragée. Et puis, il en a de bonnes, lui ! Des féculents !

— Ce n'est pas demain la veille que je vais en manger, des féculents, avec ce que j'ai à perdre.

— Faux, dans un mois, vous en mangerez à tous vos repas.

Mais il est fou ! D'où il sort celui-là ? Je suis là pour maigrir...

— Vous allez maigrir, faites-moi confiance.

— Ça, c'est vous qui le dites, parce que je n'arrête pas de me priver et je prends des kilos.

— C'est normal...

Ah non ! Il ne va pas me ressortir le couplet de l'âge parce que, d'un, je ne suis pas vieille et de deux...

— Vous avez trop contraint votre organisme et il ne répond plus.

Ah ! Je l'avais entendu dans la bouche de mon cher et tendre médecin de mari ce couplet, mais je ne l'avais pas bien écouté. On écoute rarement bien ses proches.

Là, je suis prête, allez-y, je suis tout ouïe.

Et il m'explique.

« *L'important, c'est votre métabolisme de base.* »

— Votre corps a un métabolisme de base qui s'élève pour vous aux alentours de 1 400 Calories par jour. Ce compte est différent pour chacun suivant sa corpulence, sa taille, son sexe, son âge et d'autres facteurs que je n'approfondirai pas ici.

» Ce métabolisme de base, c'est l'énergie que votre organisme dépense uniquement pour vivre, c'est-à-dire se réveiller et penser, sans autre activité que se déplacer et manger.

» Toute activité physique supplémentaire, ce sont des Calories que vous dépensez en plus.

» Si vous vous privez trop sur une trop longue période, votre corps réagit en abaissant votre métabolisme à 1 200 ou 1 000 Calories par jour, ce qui est très peu, et dès que votre ration alimentaire journalière dépasse ce chiffre, votre organisme ne le dépense pas en énergie, mais le stocke pour les jours où il serait en manque, et forcément, vous grossissez.

— Vous êtes en train de me dire que je grossis parce que je ne mange pas assez ?

— Exactement.

— Vous commencez à me plaire, dis-je en voyant se profiler dans mon esprit les saucissonnades muscadées des apéritifs corses et autres figatellu et gâteaux au brocciu dont je raffole.

Le toubib me calme aussitôt.

— Attention, il ne s'agit pas non plus de manger

n'importe quoi en n'importe quelle quantité. Il faut réapprendre à manger de tout et équilibré.

— Et en suivant vos conseils, on perd vite ? On m'a dit qu'en passant trois semaines à Brides je pouvais perdre jusqu'à huit ou neuf kilos, alors en deux semaines, je devrais pouvoir en perdre quatre ou cinq...

— Oui, bien sûr, mais à Brides vous êtes dans un cadre privilégié, on vous fait à manger, vous n'êtes pas tentée, ou très peu. Notre but, c'est de vous réapprendre à vivre, de vous donner de nouvelles habitudes alimentaires, de nouveaux réflexes, pour que vous continuiez à perdre après et que vous ne regrossissiez pas.

Si c'est pas sympa, ça ? Me redonner de bonnes habitudes. Et pourquoi je n'en ai pas pris tout de suite de bonnes, hein ?... Doit y avoir une raison.

La gourmandise, sûrement, et puis un besoin de compenser... On ne va pas se lancer dans une étude psychologique, il y a des spécialistes pour ça.

Non, maintenant il faut positiver, se dire qu'il est temps de grandir, de prendre sa santé en main. C'est vital pour se sentir bien dans sa peau.

— En combien de temps et dans quelles conditions se déroulent vos repas ?

Cette question me panique, je sais bien que même avant d'y avoir répondu j'ai déjà zéro.

— Mais je vous jure, j'étais justement en train de changer. J'ai commencé à mâcher.

Boire le solide et manger le liquide.

C'est vrai, c'est tout con, mais c'est un truc que je n'avais jamais fait.

Il faut dire que, mastiquer quarante fois avant d'avaler, comme on me l'a si souvent conseillé, c'est fastidieux et peu aisé pour soutenir une conversation.

Je ne sais pas vous, mais moi, je n'ai jamais pu compter dans ma tête en même temps que quelqu'un me parlait. « Ah ! Mais tais-toi, je compte... » Débile, non ?

Et puis l'autre jour, ma copine Nadia avec qui je déjeunais m'a dit une phrase qui a fait tilt dans ma tête. Elle l'avait tirée d'un précepte bouddhiste, je crois : « Il faut boire le solide et manger le liquide. »

Oui, oui, allez-y ! Je vous laisse quelques minutes pour mesurer la portée de ce que vous venez de lire... !!!...!!!...!!!...

C'est fort, non ?

Tout devient limpide : il faut que je mâche jusqu'à ce que tout le solide que j'ai mis dans ma bouche devienne liquide. J'essaie.

Mais, c'est très agréable, en plus ! Les aliments passent par plusieurs phases de goût et, en se mélangeant à la salive, deviennent plus digestes. Sans compter que cela ralentit considérablement le rythme du repas et, comme l'estomac met du temps à se rendre compte qu'il est rassasié, on finit par manger moins.

Ça y est, je vois pour le solide, mais, mâcher le liquide...

Eh ! C'est pas mal comme sensation ! D'ordinaire, un bon jus de fruits passe tellement vite sur mes papilles qu'elles n'ont pas le temps de s'affoler.

OK, je suis convaincue, je m'y mets sérieusement, je deviens ruminante.

C'est une bonne résolution mais pas facile à tenir car, dans le feu de l'action et le stress, j'oublie vite, et je me remets à faire l'aspirateur, et pas de n'importe quelle marque, du lourd, avec moi il ne reste pas une miette en moins de cinq minutes.

— De toute façon, ici à Brides vous aurez moins d'appétit, parce qu'il y a l'eau, poursuit le médecin.

Allô ! Oui ! ? Moins d'appétit vous dites ? J'écoute ! Vous avez dit l'eau ? C'est quoi ça ?

— Matin, midi et soir avant le repas, vous devrez aller à la source boire un grand verre d'eau chaude soufrée, de celle qui descend des volcans. Elle désengorge le foie et coupe l'appétit. Mais elle a un goût et certaines personnes ont du mal à la boire. On n'a rien sans rien.

Bof ! Je dois dire qu'ayant bu ce genre d'eau en Ardèche assez fréquemment, je lui trouve plutôt le goût d'une madeleine de Proust.

La maison de mes grands-parents se tenait au pied du Souillol, un de ces vieux volcans d'Auvergne. Et en bas de la volée de grandes marches qui menaient aux thermes romains, une grille au ras du sol nous laissait deviner la source qui passait là.

Nous en buvions au robinet, tout simplement.

C'est peut-être cela qui donne, comme le dit Jean Ferrat quand il chante l'Ardèche, des centenaires à ne plus savoir qu'en faire.

Donc aucun problème pour l'eau chaude. Et ensuite ?

— Ensuite, il faut remplir une bouteille d'un litre et demi d'eau fraîche de la source d'en face, qui elle a des vertus diurétiques et que vous devez boire dans la journée.

— On peut se la faire livrer le matin au petit déjeuner ?

— Ah non, désolé, il faut aller se la chercher.

Ça fait sans doute partie du programme, mais on est là pour ça, alors on ne va pas commencer à resquiller.

— Et vous faites quoi comme sport ?

— Ces derniers temps, pas grand-chose.

— Ces derniers temps ?

— Ben oui, ces dix dernières années, quoi ! Mais j'ai un mot du docteur.

On dirait une gamine prise en faute...

Hey, assume ! Dis-le que tu es paresseuse, que tu préfères prendre ton scooter plutôt que de marcher, que tu hésites à descendre les escaliers de peur d'avoir à les remonter.

— Parce que, poursuit le toubib, il faut bouger. Pendant la cure et même après, il faut marcher au moins une demi-heure par jour.

— Ah ! C'est tout ! J'avais peur que vous me parliez

de choses impossibles à faire... Comme une heure de jogging le matin.

Moi, le jogging, j'ai jamais pu, je m'ennuie à mourir... Mais marcher, j'aime bien. Et il paraît que j'ai raison !

La marche et la respiration profonde éliminent les graisses.

— La course et la transpiration, elles, éliminent le sucre. Donc avant tout, marchez ! confirme mon médecin. Il ne s'agit pas de marcher très vite en vous essoufflant et en transpirant, il s'agit de marcher d'une façon tonique, de bien respirer et d'oxygéner vos cellules et votre organisme. On peut aussi faire de la natation, du yoga. Même une bonne balade en discutant avec des copines est salutaire.

Ça ne doit pas être si compliqué que ça à mettre en pratique, ici la campagne est belle et l'air est pur, profitons-en. Reste plus qu'à trouver des copines...

Je repars les bras chargés de documents. J'ai de la lecture, je ne vais pas m'ennuyer.

Je continue la visite.

Le Spa est magnifique comme un palais des *Mille et Une Nuits.*

Un jacuzzi, un sauna, un hammam, des salles de massage et des salles de soin de balnéothérapie : massages sous affusion, baignoires à jets multiples, bains bouillonnants... Une grande terrasse où des transats bien sagement alignés attendent nos corps alourdis par le sommeil que provoque la douceur des caresses de l'eau. Des alambics où décantent des potions magiques destinées à vous purifier l'intérieur. Tout ici est voué au bien-être.

Honnêtement, je ne sais pas si cela va avoir de l'effet sur mon poids, mais sur mon moral, ça c'est sûr.

De plus, j'y accède très facilement de mon hôtel, sans passer par l'extérieur.

Ah ! Je peux m'y rendre en peignoir ? Très bien ! Et quand j'arrive au vestiaire, on me donne... Un autre peignoir pour me changer.

Tant mieux ! J'avais peur de devoir me promener en peignoir !

— Ravale tes sarcasmes ! Tu seras bien contente de le trouver, ton peignoir sec, quand tu ressortiras avec l'autre trempé, me souffle mon Angelot.

— Ah, t'es là, toi ?

Il faut vous dire que depuis toute petite, j'ai mon petit Angelot pour me remettre dans le droit chemin que mon petit Diablotin m'incite à quitter en permanence.

Diablotin me joue des tours en me rendant assez souvent sarcastique ou décalée, voire un peu foldingue.

Mais une folie assez douce, hein ! De celles qui aiment faire des jeux de mots et rigoler de tout, surtout des choses sérieuses.

Quand il se réveille, mon Diablotin, c'est un peu le Vietnam, je le sens qui me titille à tout propos, qui frétille à l'idée de la prochaine farce qu'il va inventer ou qui me pousse à tout voir en noir et à sortir les griffes.

Heureusement, il y a Angelot. Lui, c'est ma voix de la sagesse. Pas la sagesse gnangnan, non ! Celle des bonnes résolutions, du cartésianisme.

Ça faisait longtemps que je ne les avais plus entendus, ces deux-là. C'est signe de changement.

Il était temps !

On me donne mon programme. Les soins ont lieu tous les jours, une fois le matin, une fois l'après-midi, et entre les deux, il faut s'organiser.

On me parle de bains de boue un peu plus loin à Salins. Une navette est censée s'y rendre toutes les demi-heures.

J'ai vu les photos de ce centre sur les prospectus et j'ai bien envie d'y jeter un coup d'œil. Pas par besoin, je n'ai pas encore de problèmes d'arthrose, mais par curiosité, car c'est nouveau pour moi.

Une immense piscine remplie d'une eau toute marron dans laquelle barbotent une multitude de gens, ça m'intéresse ! Quelle sensation cela fait-il ? Est-ce que c'est épais ? Est-ce que c'est chaud ? Il faudra que j'essaie.

La réceptionniste me briefe sur la possibilité de s'y rendre à pied par le petit chemin qui longe le torrent. Il faut une heure de marche. C'est bien, c'est le quota minimum que je me suis fixé. J'ai l'intention d'être une bonne élève.

Je vais commencer par regarder sur la droite en sortant de l'hôtel, car à gauche ils ont eu la bonne idée de coller un salon de thé avec glaces, pâtisseries et confitures en tout genre.

Ça n'aide pas.

Munie de la jolie Thermos en toile plastifiée bleue et d'un gobelet en plastique trouvé dans ma chambre, je fonce tête baissée vers mon coupe-faim quotidien.

Il y a foule ! Des énormes, des très gros, des gros, des un peu enrobés et même des minces.

Je me plais à penser que ceux-là sont en fin de séjour et qu'ils ont perdu tous leurs kilos superflus. Dans quinze jours, peut-être que moi aussi...

Au boulot !

Je fais la queue. Quelques personnes me scrutent du regard. Ils doivent se dire que je ressemble vaguement à l'actrice qu'ils ont vue dans *Julie Lescaut.*

Vaguement ou... En gros.

Bon ! C'est bon là ! T'arrêtes de te faire du mal ? Tu bois ton eau et tu rentres chez toi.

Je tends mon verre à la serveuse, qui fait le plein et coche la case du jour.

Puis je remplis ma bouteille. Certaines personnes sont venues avec des casiers et en remplissent une bonne dizaine. D'autres y vont au verre et traînent en discutant. À chacun sa méthode... La mienne sera de la boire sur le chemin du retour.

Surtout qu'il faut faire vite. J'ai pris rendez-vous avec le kiné de l'hôtel. Il paraît qu'il fait un palpé-roulé de derrière les fagots. Aucune cellulite ne lui résiste.

— Bonjour ! Moi, c'est Christophe, comment va Dominique ? Alors il s'occupe de Ségolène Royal ?

OK ! On va causer politique.

Sans doute croit-il que parler va me faire oublier la chaleur intense que me procure sa pommade à l'ortie tandis qu'il me triture les chairs en vue de rétablir la circulation de mes veines endormies. Ouille ! Aïe ! Attends que je me lève et tu vas voir de quel bois je me chauffe.

— On se retourne sur le dos.

— J'ai chaud, j'ai froid.

— C'est normal, c'est la réaction au produit. Mais vous allez voir, c'est un truc miraculeux, ça marche vraiment bien. Elles en raffolent toutes.

Elles sont masos ou quoi ?

— Voilà, c'est fini, ça va ?

Super ! Je claque de toutes mes dents en me redressant et en regardant mes jambes et mon ventre.

— C'est miraculeux, vraiment, vous m'avez transformée en écrevisse : trop fort !

Ça a intérêt à être efficace, parce que je ne vais pas jouer les Peaux-Rouges tout le séjour pour rien, moi.

— Et j'en ai réservé combien, des séances de tortures ?

— Tous les jours, me sourit-il.

— Aïe !

— Mais rassurez-vous, plus on va en faire et moins vous aurez mal.

— Et on ne pourrait pas aussi s'occuper de mon dos un jour sur deux ?

— Mais si, bien sûr, c'est prévu ; demain, massage détente.

— Génial ! Alors, à demain.

– II –

ET SI ON MAIGRISSAIT ENSEMBLE ?

Et me voici seule dans ma chambrette à attendre le dîner.

J'ai apporté de la lecture, j'en ai tellement en retard. Mais je n'ai pas le cœur à lire. Il faut que je me connecte sur Internet, d'abord parce que je veux pouvoir parler et voir ma petite famille à Paris, et puis parce qu'une idée a germé dans mon esprit il y a quelques jours : faire partager à mes amis MySpaciens ma cure, et qui sait, avec des conseils, aider toutes les copines qui ont des problèmes de poids à les résoudre.

Ce serait assez marrant de maigrir ensemble. Non ?

Je me mets alors à écrire à mes amis...

Ça vous intéresse de connaître mon histoire ? La voici.

Il y a trois ans, ma gestuelle quotidienne était rythmée

par l'habitude. Tu décroches le téléphone, tu allumes une cigarette. Tu bois un café, tu allumes une cigarette. Tu allumes la télé, tu allumes une cigarette. Tu discutes avec des amis, tu allumes une cigarette. Tu t'assieds, tu allumes une cigarette.

Je n'étais pas une immense fumeuse, je n'aimais pas vraiment ça, j'aimais le geste. Il me rassurait, me positionnait, me désangoissait. Encore aujourd'hui, l'idée de tenir cet objet fumant du bout de mes doigts m'est agréable et sensuelle.

Je ne pensais pas à m'arrêter malgré les mises en garde de tout poil qui nous serinent à longueur de journée que le tabac est dangereux. Je m'en amusais même en racontant l'histoire de l'homme qui va voir le médecin et lui demande :

— Docteur, que dois-je faire pour vivre très longtemps ?

— C'est très simple, répond le docteur, il faut arrêter de manger des choses riches, arrêter de fumer, arrêter de boire, arrêter de baiser, se coucher tôt...

— Ah ! dit l'homme, et avec ça vous pouvez m'assurer que je vais vivre plus longtemps ?

— Non, dit le docteur, mais je peux vous assurer que le temps va vous paraître beaucoup plus long.

Elle me fait toujours autant rire et, au-delà de l'anecdote, la philosophie qui s'en détache, je la fais mienne.

Alors, me direz-vous : pourquoi ai-je arrêté ?

La première raison s'appelle Meyer, l'homme qui partage ma vie depuis dix-sept ans maintenant et avec qui j'ai eu un petit garçon.

Meyer était un grand fumeur, il allait jusqu'à quatre paquets par jour, qu'il fumait intensément du matin au soir et parfois du soir au matin, comme mon père et probablement pour les mêmes raisons : les nuits de garde à l'hôpital. Eh oui, beaucoup de médecins sont accros au tabac !

Il toussait si fort quand il grimpait les trois étages de la maison que je l'entendais depuis le rez-de-chaussée. Il s'arrachait les poumons et avait tenté maintes fois de son côté de s'arrêter. Sans résultat.

Il faut dire que, comme je continuais à fumer, je ne lui facilitais pas la tâche. Alors un jour on a décidé d'arrêter ensemble...

Mais la deuxième raison de mon sevrage, c'est mon fils, le trésor de ma vie... Un jour que je venais lui faire le câlin du soir, il me dit sans détourner les yeux, et sans malice d'ailleurs :

– Tu pues, maman !

Le choc !

J'ai passé la soirée à me poser des questions, et le lendemain ma décision était prise : j'arrêterais pour mon anniversaire.

Il me restait donc deux semaines.

J'ai essayé de diminuer doucement et, au jour dit, j'ai arrêté...

Et j'ai remplacé les clopes par... le saucisson, le fromage et le muscat.

Pas une bonne idée ! Je ne vous le conseille pas.

Aujourd'hui, j'arrête les conneries, je suis à Brides-les-Bains. Dix-huit kilos, c'est trop cher payé ! Je prends un nouveau départ, ça y est ! Je respire, j'y crois et commence à entrevoir la sortie du tunnel dans lequel je patauge depuis trois ans. Une petite lumière tout au bout, encore difficile à atteindre, mais elle existe.

Je vais laver mon foie, vider mes cellules adipeuses (avec un nom comme ça, elles ne peuvent pas être belles), bouger mon corps, me délecter de belles recettes diététiques, noyer tous mes démons alimentaires dans la bonne eau de la source chaude, je veux rompre toute relation avec eux. Hier encore ils me faisaient de l'œil, me poussaient à fêter l'enterrement de ma vie de grosse en me susurrant à l'oreille qu'au point où j'en étais, perdre quinze ou vingt kilos, où était le problème...

Hier encore je leur ai cédé.

Mais là, je vous le dis, c'est fini, nous les aurons. Ensemble si vous voulez.

Tous les jours je vous enverrai les conseils qu'on m'aura prodigués et quelques recettes.

Et cet été, à nous les petites robes affriolantes et les bikinis sur la plage...

Quoi ? Non, je ne rêve pas !

À propos de rêve, il faut que je me couche, car demain j'ai une journée chargée et, pour commencer, une grande promenade avant le petit déjeuner.

Car, sachez-le, mesdames, ce n'est pas le sport qui fait maigrir. C'est la marche !

Il faut marcher au moins trente minutes par jour,

mais pas en s'essoufflant, non, juste en respirant calmement, en discutant même.

Ce qui ne vous empêche pas de faire un peu de yoga ou de stretching.

Première leçon, donc : bougeons, respirons.

Et à demain.

Voilà ! C'est un bon résumé de la journée. Je l'édite et je ferme mon ordo.

On frappe à la porte, chouette le dîner ! Glups... J'avais oublié les protéines. Ça commence déjà ?

— Ah non, monsieur ! Vous avez dû vous tromper de chambre, ce n'est pas moi qui ai commandé une omelette au jambon, un blanc de poulet et deux cents grammes de fromage blanc 0 %. Ah, ah, ah ! Soyons sérieux, que voulez-vous que je fasse de ça ?... Pardon ? Que je le mange ?

C'est si gentiment demandé ! Je m'exécute.

J'ai tenté le coup de l'intimidation, ça n'a pas marché, mais ça ne coûtait rien d'essayer.

Je ne suis pas rassasiée donc je bois un, puis deux grands verres d'eau (on m'a dit que ça calmait la faim). Toujours pas calmée ? Allez hop, un troisième.

— Va prendre l'air, me suggère Diablotin.

Ah non ! Je ne ressors pas de ma chambre, je risquerais de mordre quelqu'un.

— Courage ma grande, intervient mon Angelot, tu ne vas pas te laisser dominer par ton estomac ! Et puis, rappelle-toi, le bon docteur a dit que si tu avais encore faim tu pouvais en redemander. Il a aussi dit que les protéines allaient te couper l'appétit et qu'après ça ton estomac allait rétrécir rapidement.

Et la gourmandise ? Et l'imagination ? Comment on les fait rétrécir ?

On se couche avec un bon bouquin et un peu de courage et... Ah oui, j'allais oublier ! Un exercice que j'ai lu dans un magazine.

Il faut se projeter dans l'avenir, mentalement bien sûr, sinon on n'est pas arrivée, pour se voir telle qu'on voudrait être. Il paraît même que placarder sur la porte du frigo une photo de soi qui ne fait pas de cadeau peut aider. En tout cas, si ça n'empêche pas d'ouvrir la porte, ça peut faire réfléchir.

Moi j'espère juste que ça ne fera pas réfléchir nos maris...

Ah là, là ! Je n'arrive pas à trouver le sommeil... Ça me fait toujours ça les premières nuits en dehors de chez moi. Je tourne en rond dans ma tête.

La vie est tellement absurde. Je suis là à payer des fortunes pour perdre les kilos dus à une surconsommation alors que d'autres dans le monde cherchent vainement quelque chose à se mettre sous la dent.

Vaste sujet maintes fois traité. D'un côté, l'excès, de l'autre, le manque.

N'avons-nous aucun moyen de trouver un juste milieu ?

Sûrement pas en envoyant les restes de nos assiettes, comme le dit si bien Muriel Robin dans un de ses sketches : « Je vais tout de même pas leur envoyer mon gratin de pâtes ! Hein, madame Rignac. » Il est plus judicieux de leur donner les moyens de cultiver et d'irriguer, et j'admire profondément les gens qui se dévouent à ces causes et aident par leurs actions à creuser des puits. L'eau, c'est la vie. Rien ne peut être plus vrai.

Je me suis toujours promis de me battre pour une cause. Pas juste de déposer mon nom sur un papier ou de participer à de grandes fêtes très people, ça c'est assez facile.

Non, moi je parle de mouiller sa chemise et d'aller sur place apporter sa contribution.

— Alors pourquoi tu ne le fais pas ? Par manque de temps, par peur, par paresse ? grogne mon Angelot.

— Oui, un peu tout ça. Beaucoup pour mon fils, aussi, qui a besoin de moi et que je ne vois pas si souvent. La vie passe si vite. Pourquoi souffrirait-il de mon absence ? Il est encore si jeune...

Mais je me promets que, dès qu'il est en âge de se débrouiller, je me lance.

Et c'est pleine de bonnes résolutions sur mes futurs engagements envers mon prochain que je m'endors.

– III –

« JE ME LÈVE ET JE ME BOUSCULE »

« Je me lève et je me bouscule »... J'ai cette chanson dans la tête ce matin, et telle que je me connais, je vais la trimballer toute la journée.

Faisons-en l'ordre du jour.

Un bond hors du lit et en place pour le yoga du matin.

Eh oui, ça fait partie de mes nouvelles résolutions.

Un petit quart d'heure à une demi-heure tous les matins vaut mieux qu'une grosse heure par semaine, m'a-t-on dit. Ça dérouille le corps et les neurones, et après on se sent tellement bien qu'on ne peut plus s'en passer. Moi j'ai choisi le yoga ashtanga. Ça se prononce comme ça s'éternue. C'est un yoga basé sur la coordination de la respiration et d'une série de mouvements pour activer l'élimination des toxines, et qui utilise aussi certains verrous pour condenser l'énergie dans le corps. Cela développe à la fois la force et la souplesse. Je ne vais pas vous enseigner ça par écrit, je vous conseille de vous rendre dans un cours pour d'abord apprendre à bien respirer, puis pour mémoriser une séquence de mouvements, que vous pourrez pratiquer assez vite chez vous le matin avant le petit déjeuner. Pas besoin de plus d'espace que celui de votre corps allongé ou debout bras tendus au-dessus de la tête. Pas dans les courants d'air. Dans la chaleur, c'est mieux.

Vous verrez, c'est très facile et très agréable.

Moi j'avais d'énormes problèmes de dos, genre hernie discale et tout le toutim, et le matin en me levant j'avais mal dans les hanches, dans les genoux, un peu comme si un rouleau compresseur m'était passé dessus, vous voyez ? Je m'étais faite à l'idée que, pour moi, le sport et la danse que j'avais pratiqués à haute dose, c'était fini. Je me trouvais toutes les bonnes raisons pour ne plus bouger. Inutile que je les énumère, ce sont les mêmes que les vôtres.

Et puis ma copine Nadia, celle-là même qui m'avait parlé de la phrase bouddhiste, me dit un jour qu'elle va se mettre au yoga.

Bon, pour elle, c'est normal, elle est chorégraphe, comédienne, prof de mouvement et j'en passe, et elle va de formation en formation en vue de se perfectionner, mais moi, le yoga, je pensais que c'était un truc de barge et qu'il fallait se laisser pousser la barbe avec les fleurs dedans, les bras comme Vishnu, et mettre une couche-culotte genre yogi pour le pratiquer.

Franchement je ne voyais pas ce que ça pouvait m'apporter. Je m'imaginais me contorsionnant dans des attitudes bizarres, jambes par-dessus tête, pendant des plombes pour faire le lotus.

Le lotus ! Est-ce que j'ai une tête de lotus ?

Et puis, comme je suis d'un naturel assez curieux, je me suis lancée.

Eh bien, ce n'est pas du tout ce que je pensais. Mais pas du tout ! Il ne faut jamais parler des choses qu'on n'a pas essayées.

C'est génial et ça n'a rien de transcendantal. Même si ça ouvre bien l'esprit, c'est une gymnastique très douce. Croyez-moi !

Bon, ça ne vient pas tout de suite, faut pas rêver. On n'a pas tout de suite le look elfe en lévitation. Moi c'était plutôt Babar, si vous voyez ce que je veux dire. Très gentil, le Babar, mais pas léger, léger !

La première fois que j'ai essayé de retoucher mes pieds... Hein ? Qui a dit : « Ils doivent être bien sales » ? Mais ça ne va pas ! ? Je les touche, mes pieds, pour les laver... Seulement la première fois que j'ai essayé de les retoucher jambes tendues, gros malin, j'ai péniblement atteint mes genoux.

J'avais honte. Moi qui avais été si souple, si sportive. Je n'arrivais même plus à joindre mes mains dans mon dos.

Mais il ne faut pas se décourager, ça vient ou revient très vite, sans forcer. Et aujourd'hui, comme une fleur, à l'aise Blaise, plus de douleurs et la souplesse retrouvée. En trois mois ! Sans blague, je vous jure. Pourquoi je vous raconterais des salades ?

Donc, je m'y mets. Premier matin de cure : yoga.

— Cinq salutations au Soleil A... C'est quoi ? C'est une séquence de mouvements qui s'appelle comme ça. Et... Oui ! On peut les faire même quand il n'y a pas de soleil.

Je continue.

— Cinq salutations au Soleil B. Je suis déjà en sueur mais pas essoufflée... Puis deux ou trois mouvements pour raffermir le ventre, car chaque mouvement a ses vertus et, une fois tout terminé, la position du mort, celle où l'on se retrouve sur le dos.

C'est le moment que choisit la femme de chambre pour m'apporter le petit déjeuner. Elle s'arrête, saisie. Petit moment de panique : la commissaire Lescaut morte dans sa chambre ! Mais qui va mener l'enquête ?

Je me redresse. Son sourire revient.

Alors ! Qu'y a-t-il de bon à manger ? J'ai faim !

Oh là, là ! C'est maigre ! Pas de confiture, pas de beurre, pas de pain. Bien sûr, pauvre pomme, ce n'est pas dans la liste des protéines.

Les principales sources de protéine sont : les protéines animales comme la viande, le poisson, les œufs, les produits laitiers et les protéines végétales.

Des protéines végétales ! Tiens ! J'en apprends tous les jours. Et on les trouve où ?

Essentiellement dans les céréales et les légumineuses : lentilles, pois, fèves, haricots secs, et dans le soja. Mais que je suis bête ! Évidemment, je le savais !

En tout cas, les légumineuses ne se bousculent pas sur mon plateau, ça doit pas être aussi protéiné que le reste, parce que, moi, je vois :
- 1 tranche de jambon blanc ;
- 100 g de fromage blanc ;
- un peu de faux sucre ;
- du café.

Allez, je rumine !

C'est quand même bon et puis, ce matin, je suis remontée à bloc.

Oh, flûte ! J'ai oublié d'aller prendre l'eau de la station.

« Tans pis, ce n'est pas très grave, m'a dit le docteur. On peut s'en passer. C'est surtout pour les gens qui ont des problèmes de foie. Le plus important, c'est de boire de l'eau, quelle qu'elle soit. Buvez, buvez ! »

Buvez, éliminez, ça ne vous fait penser à rien ?

Nouvelle rengaine en tête, je me mets en quête de vêtements de marche adéquats.

Les derniers que je possède datent de Mathusalem et je ne remonte pas mon pantalon plus haut que les genoux.

Ici, je vais bien trouver ma taille. Et puis c'est l'occasion de visiter la ville.

Alors, gauche, droite ?

Allez ! Je commence par la droite, ça m'a l'air plus commerçant.

Il y a tout ce qu'il faut : la pharmacie, la presse qui regorge de livres de cuisine diététique (il faudra que je m'y attarde), quelques magasins de fringues, mais rien de bien folichon.

Je vais remonter plus haut car, si ma mémoire est bonne, en arrivant dans mon taxi, j'ai cru remarquer une boutique de sport assez fun.

Dix minutes plus tard, j'y suis. Fermé.

Un rapide coup d'œil au panneau d'affichage des horaires : elle ouvre à dix heures.

Mais quelle heure est-il ? Neuf heures et demie. Je suis tombée du lit !

Ça, c'est la force de l'habitude. Je me lève tous les matins à 7 heures, because mon fils et l'école.

Qu'à cela ne tienne, il n'est jamais trop tôt pour s'y mettre. Je vais faire tout le tour du village, car j'ai revu le statut de ville à la baisse, et je reviens. Ça me fera ma demi-heure de marche. Je repars vers l'amont, où je perçois, entre les sapins, des piliers partant d'une maison façon chalet suisse vers les sommets. C'est un téléphérique qui mène à Méribel, me répond le monsieur que je viens d'appréhender. Appréhender... Qu'est-ce que je dis ? Je me crois dans un polar ! Disons plutôt aborder.

L'espoir de s'élever vers les cimes est vite réprimé : il a fermé hier.

Ah ! Dommage !

Mais alors, en hiver on peut skier et maigrir ? Ça

m'intéresse. Parce qu'à chaque fois que je suis partie au ski, je serais plutôt revenue avec une tartiflette et une fondue dans chaque cuisse.

Faudra creuser cette option.

Sous la benne, un torrent dévale la pente entre les conifères, passe sous la route et se jette dans un autre qui sillonne la vallée. C'est assez présent comme bruit mais pas gênant, ça ne m'a pas empêchée de dormir.

Bon, ça devrait être l'heure. Je repars vers l'autre bout du hameau. Si je veux marcher une demi-heure, il va falloir que j'en fasse dix fois le tour.

Elle est gentille, la vendeuse. Elle ne doit pas vendre énormément, ou alors c'est moi qui ne me vois pas, mais j'ai beaucoup de mal à trouver un pantalon qui m'aille. Pourtant, sur le chemin et après avoir croisé pas mal de curistes, je me serais presque trouvée mince...

Ah, c'est bon, je rentre dans un pantacourt marron légèrement élastique.

J'en profite pour remercier l'inventeur de ces matières qui nous font si souvent ressembler à de petits gigots à qui il ne manquerait que le manchon. Non, sans blague ! C'est très trompeur. On arrive à rentrer dans n'importe quoi et on ne s'y sent pas si mal, mais côté esthétique, ce n'est pas reluisant.

Munie de mon nouveau pantalon taille informulable, de mes chaussures légères qui marchent toutes seules et de mon coupe-vent que j'espère ne pas porter trop souvent, je rentre à l'hôtel. J'ai bien marché à tout casser vingt minutes.

Le temps ne passe pas vite. Et j'ai faim ! En fait, non, je n'ai pas faim, j'ai une sensation de faim, il faut que je m'occupe. Je sens que ces trois premiers jours ne vont pas être faciles. Mais on n'a rien sans rien, il faut que je tienne.

— À quelle heure le déjeuner ?

— À partir de midi, me répond la gentille réceptionniste que je bassine depuis mon arrivée avec mes questions.

Encore deux heures à « tuer », car il s'agit bien de ça. Je vais penser à autre chose, mais à quoi ?

— À un bon sandwich au fromage, me souffle Angelot.

— C'est malin, Angelot, j'essaie de penser à autre chose. C'est déjà assez dur comme ça. En plus, venant de toi, ça m'étonne. Tu n'es pas là pour m'aider ?

— Je vois que tu ne connais pas l'histoire du mec qui veut acheter un tapis volant.

— Non. Et je ne vois vraiment pas ce que ça vient faire là.

— Si, si, tu vas voir, ça a un rapport. Un jour, un homme voit passer un tapis volant. Il le suit jusqu'au marchand et demande à l'acheter. Le marchand le lui vend à prix d'or. L'homme s'assoit dessus et veut partir avec. Il demande au marchand ce qu'il doit faire pour s'envoler. « C'est très simple, lui dit le marchand, tu n'as qu'à dire : Tapis, vole. » L'homme va s'exécuter et le marchand ajoute : « Mais surtout, tu ne dois jamais penser à un âne. »

Résultat, l'homme n'a jamais pu s'envoler avec son tapis.

J'ai compris. Ça veut dire que, pour ne pas penser à quelque chose, il vaut mieux ne pas s'interdire d'y penser. Ça va chercher loin ce raisonnement.

— Il faut tout réapprendre, alors, s'ôter toute culpabilité ?

— Il faut surtout ne plus avoir peur de la nourriture ni des mots qui y sont liés, ni même des pensées. En résumé, il faut que tout ça ne soit plus un problème.

— D'accord ! Je vais lire, écrire, marcher, respirer, rencontrer des gens, tout faire pour ne pas penser que je ne dois pas penser à manger. Y a du boulot ! C'est un peu comme si tu me demandais de réapprendre à marcher.

— Exactement ! Mais tu vas y arriver.

Il est sympa, c'est tout mon côté bonne volonté, bon petit soldat.

Allez, j'ai le temps de jeter un petit coup d'œil à mon blog avant le déjeuner...

Oh ! Mais ils sont nombreux, les petits camarades, à m'avoir répondu, très intéressés par le voyage. Garçons et filles ! Tiens ! Je croyais que c'étaient des problèmes uniquement féminins.

Ils veulent commencer avec moi.

Super ! Pourquoi pas ? Je me sentirai moins seule. Et puis, ça booste de rendre des comptes à des gens qui comptent aussi sur vous...

Allez, on va la faire, cette cure, et on va gagner, vous avez ma parole.

OK ! On y va tous alors ? Vous voulez venir aussi ? Sympa... Tope là !

Bon, alors, je ne répète pas, hein ! Vous avez tous suivi.

On commence par trois jours de protéines.

Mais seulement ceux qui ont beaucoup à perdre, les autres peuvent commencer tout de suite à la phase deux, surtout les jeunes. Quant aux petits, il est exclu de leur faire suivre un quelconque régime, c'est très mauvais, il ne faut pas jouer avec leur santé. S'ils ont de gros problèmes, on les emmène chez un spécialiste, sinon ils ont juste besoin de manger équilibré et pas trop gras pour ne pas grossir. Ils ont de la chance, eux, ils vont grandir, et un enfant qui ne grossit pas maigrit. Quelques activités sportives là-dessus, et le tour est joué.

Pour nous, les bien enrobés, ces trois jours vont nous redonner le moral et, paraît-il, nous couper l'appétit.

Moi pour l'instant j'ai toujours aussi faim, mais attendons, je commence à peine.

Occupons-nous l'esprit. Et si on faisait l'inventaire de tout ce qu'on peut faire pour s'aérer ?

Bouger : comment ?

On a parlé du yoga, mais il y a aussi la natation. Bon, OK, pas facile à pratiquer tous les jours, c'est vrai, et mauvaise pour le thermobrossage, je vous le concède.

Mais c'est quoi ça, le thermobrossage ?

C'est le terme que mon correcteur orthographique me propose à la place de brushing, qui est un anglicisme. Non mais je rêve !

Oh ! S'il vous plaît, faites ça pour moi, la prochaine fois que vous irez chez votre coiffeur, demandez-lui une petite coupe avec thermobrossage. On va bien rigoler.

Pour en revenir à la natation, c'est vrai que c'est super bon. Moi je ne suis jamais aussi en forme que pendant les vacances, quand je peux nager un kilomètre par jour. Avec des palmes, ça fuselle les jambes et c'est génial. Maintenant, il est vrai qu'une fois revenu en ville, surtout avec le froid, il faut avoir une certaine dose de courage que je n'ai pas.

Il y a aussi le vélo. Pourquoi ne pas essayer de faire le plus possible de trajets en vélo ? Je sais, il ne faut pas être trop chargé, ne pas avoir d'enfants en bas âge, ne pas avoir de problèmes physiques et avoir un vélo, mais pour ceux qui peuvent... Moi, quand je rentrerai de tournage (c'est très fréquemment en dehors de la capitale), je prends la résolution de me faire déposer le plus souvent possible à une porte de Paris et de faire le reste du chemin à vélo. Maintenant qu'il y a le Vélib', plus d'excuse !

Pourquoi je n'achète pas un vélo ? me direz-vous.

Parce que avec le Vélib', j'ai la liberté de le prendre ou pas. Quand c'est le vôtre, vous le prenez à l'aller et vous devez vous le coltiner au retour, même si vous n'en avez pas envie ou que vous avez des choses lourdes ou encombrantes à rapporter.

Tandis que là, c'est libre et pas très cher.

Je sais, ce service n'existe que dans très peu de villes pour l'instant, désolée pour les autres. Mais ça viendra...

Alors yoga, natation, vélo, *what else* ?... Un petit hommage en passant à George Clooney, qui ne pourra plus résister devant nos silhouettes de déesses quand nous aurons mis tous nos plans à exécution.

Quoi d'autre ? (Pour ceux qui ne parlent pas la langue de Shakespeare.)

On en revient à la bonne vieille marche, la marche tonique bien sûr. Il ne s'agit pas de s'arrêter toutes les trente secondes devant les boutiques, ça, ça s'appelle du lèche-vitrines, et cette marche-là risque de vous faire baver alors que la mienne vous fera juste suer. Il ne s'agit pas de dépenser mais de se dépenser.

Répétons-le : la marche est une valeur sûre.

Elle peut se faire en famille, entre amis et à n'importe quel âge. C'est quand même mieux de marcher dehors que de s'enfermer dans une salle qui sent la transpiration et les pieds, sur un tapis roulant qui ne mène nulle part, le nez collé à un mur et sous des néons. Notez, si vous y arrivez, pourquoi pas ! Moi je n'ai jamais pu et ce n'est pas faute d'avoir essayé.

Investissons plutôt dans une bonne paire de chaussures et promettons-nous, croix de bois, croix de fer, si je mens je vais en enfer, de marcher une demi-heure à notre coupure repas quand on travaille et de faire toutes nos courses sans notre voiture, avec un petit cabas à roulettes qu'on se sera acheté chez le droguiste du coin pour ne pas se casser les reins, quand on travaille à la maison. Oui, parce que, messieurs, faut pas déconner, c'est un sacré boulot de s'occuper d'une maison.

Quoi, vous n'avez pas dit le contraire ? Ah bon, excusez-moi, je range ma banderole féministe, mais je vous ai à l'œil.

On pourrait se jurer qu'on ne prendra plus l'ascenseur mais les escaliers.

Moi je ne le prends déjà pas, j'habite un troisième étage sans ascenseur depuis dix ans.

Je n'ai pas décidé de ne pas en avoir. Non, non, je ne suis pas héroïque à ce point, j'en voulais un et je le veux toujours. Mais voilà... Quand j'ai emménagé, l'ascenseur était à l'étude et il l'est encore parce qu'un fonctionnaire des Bâtiments de France a donné un avis défavorable à sa mise en place dans la cage d'escalier, pourtant bien assez grande pour l'accueillir sans rien casser. Les architectes ont respecté ce qu'ils ont pris pour un interdit...

On ne peut pas non plus le mettre en façade dans la cour car les voisins d'en face ne veulent pas. Et, honnêtement, quand on voit la place qu'il y a au centre de l'escalier, on ne comprend pas pourquoi on irait les ennuyer en leur imposant d'avoir l'ascenseur sous les yeux.

Donc, des architectes étudient l'idée d'entrevoir la possibilité de peut-être un jour le mettre là, ou là... Et ils scotchent des bouts de gaffeur sur nos paliers pour figurer l'emplacement de la future cabine. Tantôt près des fenêtres, tantôt devant ma porte. Si bien que lorsque je l'ouvre, ma porte, je me demande ce que fait ce trait en face de mon paillasson et si la cabine d'ascenseur se trouve là un jour, comment je pourrai sortir avec une grosse valise. Et je ne vous parle même pas de déménagement.

Le seul truc positif, c'est quand je m'amuse avec mon fils et que, nous positionnant dans cet espace virtuel, Sam et moi nous téléportons mentalement au rez-de-chaussée.

J'arrête de vous bassiner avec mes petits soucis domestiques, mais de temps en temps partager avec quelqu'un, ça fait du bien. Et vous avez remarqué, hein !

Sans gros mots. Et Dieu sait que j'en ai en réserve à l'égard de ce...

Parce que moi, naïvement, je croyais qu'on y avait droit et que, de nos jours, les gens faisaient des efforts pour aménager l'accès des appartements aux handicapés.

Eh bien non ! Il faut croire que l'apparence d'un escalier a plus d'importance, aux yeux de certaines personnes décisionnaires en place, que le confort de ma voisine du deuxième qui ne peut plus se déplacer sans son fauteuil, ou de ma belle-mère de quatre-vingt-dix-huit ans qu'on est obligés de descendre à bras-le-corps chaque fois qu'elle doit subir un examen. J'oublie ma voisine de palier, qui ne rajeunit pas et que je trouve de plus en plus essoufflée en arrivant au troisième avec son cabas à provisions chargé, pour ne parler que des gens qui m'entourent.

Tout ça pour vous dire que nos petits problèmes de poids et d'activité physique ne doivent pas nous faire perdre de vue que nous ne sommes pas tout seuls et que si pour nous il est mieux de monter *pedibus cum jambis*, il n'est bien sûr pas question de manifester pour l'éradication pure et simple de cette belle invention qu'est l'ascenseur.

Récapitulons : on a fait la natation, le vélo, la marche, les escaliers... On pourrait aussi promener le chien. C'est Médor qui va être content !

Je dis ça pour ceux qui en ont un, évidemment n'allez pas acheter un chien en disant : « C'est elle qui me l'a recommandé. »

Parce que c'est une sacrée responsabilité. Il faut pouvoir le nourrir et l'emmener avec soi, et ça pendant environ dix-sept ans. Oui, oui, je sais que vous le savez, mais il vaut mieux le préciser quand même. Moi j'en ai toujours eu un, et Spot, le dernier en date, c'est à cause de Sam.

Personnellement, je n'en voulais plus, c'est un trop grand déchirement quand ils disparaissent. Meyer non plus et pour les mêmes raisons, mais mon fils nous a tellement serinés depuis ses trois ans que, quand il en a eu quatre, nous lui avons fait choisir un ravissant petit yorkshire.

Et maintenant, allez nous dire que Spot ne va pas bien ou qu'il a mal, ou qu'on l'a perdu, et c'est comme si on avait perdu un membre de la famille. C'est reparti pour un tour.

Midi, ça y est, c'est l'heure du repas.

Ne te réjouis pas trop vite, ma fille ! Ça ne va pas être un festin.

Tant pis ! J'adorerai quand même. J'ai trop faim. J'ai pris un bon bouquin et je me dirige vers le restaurant.

C'est pas vrai ! Déjà ! Toutes les tables face aux fenêtres sont occupées. Mais ils font la queue une heure avant ou quoi ?

Je ne suis pas la seule femme seule, il n'y a presque que ça et très peu de couples. Une jeune femme avec son bébé, accompagnée de sa mère probablement, et quelques groupes d'amies et d'amis. À part ça, on ne se mélange pas beaucoup.

J'espère que le bouquin que j'ai pris est palpitant parce que, si je fais confiance à ce que je vais trouver dans mon assiette pour m'éclater... Enfin, bon, on ne va pas se lamenter sans arrêt pendant ces trois jours. Ce n'est pas long, trois jours !

Allez ! Je vais faire une liste de toutes les raisons valables de faire ce qu'on me demande.

L'été est bientôt là et moi je me verrais bien, pour commencer, déjà avec cinq ou six kilos de moins dans mon maillot de bain. Pas pour mieux flotter, les baleines aussi savent nager ; pas pour les autres, juste pour moi. Pas vous ?

Il y a longtemps que le regard des autres ne me tracasse plus. Enfin, presque plus. Attention, ça ne veut pas dire que je ne fais pas mon maximum pour leur plaire. Mais quand même, j'ai décidé très tôt que je n'avais rien à faire du regard des autres et que le plus important était la beauté intérieure. C'est plus facile à vivre.

Très vite, dès mon adolescence, j'ai réalisé à quel point cela devait être dur de perdre ce sur quoi on avait bâti sa vie. En voyant les actrices ne plus être ce qu'elles avaient été, ou celles qui avaient tout bonnement disparu de la circulation réapparaître au gré des talk-shows, j'avais tellement de peine que je me jurais que rien de pareil ne m'arriverait. Je me rendais compte que, plus elles avaient été belles et, surtout, plus on leur avait fait jouer ce rôle, plus c'était dur pour elles.

Quelques-unes, dont Simone Signoret, ma favorite, en réchappaient. Elles avaient, malgré leur physique, décidé de jouer sur autre chose, et même si leur beauté avait été le déclencheur de leur carrière, très vite elles ne l'avaient plus mise en avant, lui préférant la force, la vérité, les tripes quoi !

La beauté intérieure n'est pas éphémère.

Elle ne vieillit pas et s'épanouit avec le temps. Ce n'est pas une loterie, contrairement au physique.

Celle-là, on peut tous la faire naître, la travailler, la polir.

Avoir une belle âme, être bourré d'énergie, plein de charme, n'est-ce pas plus sympa à entendre que « Qu'elle est belle ! Qu'il est beau ! » ?

Certes, pour celles et ceux qui ne l'ont jamais entendu, je conçois qu'à un moment de sa vie cela soit plus dur.

Mais moi, je me souviens avoir été amoureuse de garçons très beaux qui, au bout de quinze jours, devenaient très vilains parce que très ennuyeux.

On dit souvent que les gens très beaux sont très bêtes. Heureusement pour eux, il n'en est rien. C'est juste que certains, pour ne pas dire la plupart, se contentent de ça. C'est si facile pour eux, ils n'ont pas besoin de développer autre chose, comme leur sens de l'humour ou de la dérision, leur combativité, leur charme, leur culture. Mais le temps passe...

Quelques-uns en réchappent, souvent des hommes, moins préoccupés par leur apparence et moins contraints par la société de s'en soucier.

Selon les critères édictés par celle-ci, il est fréquent de voir un homme banal, voire pas beau, devenir séduisant avec l'âge. Même son petit bedon naissant devient un atout.

Triste sort que le nôtre ! Être réduites à l'état d'icônes.

De là à nous traiter d'espèces d'icônes, il n'y a qu'un pas que nous ne laisserons pas franchir.

Oh ! Mais je m'égare, là ! Où en étais-je ?

Ah oui, on cherchait, histoire de faire passer le bout de poisson, qui malgré l'excellente présentation et toute la science de notre gentil cuisinier reste un bout de poisson blanc dans mon assiette, les différentes raisons qui vont nous le faire aimer. Adorer même.

Toutes ces fringues que nous avons dans nos armoires et que nous ne pouvons plus enfiler.

Je ne sais pas vous, mais moi je me refuse à acheter quoi que ce soit de nouveau depuis un certain temps. Ou juste de quoi ne pas sortir les fesses à l'air.

J'ai tant de belles choses mises au rebut et qui ne demandent qu'à revoir les sunlights des tropiques !

Et puis, quoi que j'essaye, je me sens moche, mémérisée.

Et qu'on ne vienne pas me dire « Mais si, vous êtes superbe, ça vous va très bien », parce que je pourrais devenir méchante.

Je n'aime pas qu'on se moque de moi.

— Il est très bon ce poisson ! Au lieu de t'énerver, essaye plutôt de te détendre et d'apprécier ce que tu manges, me murmure Angelot à l'oreille.

— Ah t'es là, toi ? Il était temps, parce que depuis le début du repas Diablotin fait tout pour me faire voir la vie en noir.

— T'inquiète ! Je ne te lâche plus.

Tout est une question de mental, de moral, appelons ça de la volonté si vous voulez, mais moi je pense que sans bonnes raisons, sans motivations, il n'y a pas de volonté.

C'est juste une façon de voir les choses.

Donc, je me calme et je mâche ce délicieux filet de daurade.

Si ça pouvait être suivi d'un filet de rumsteck, suivi d'un filet de camembert, suivi d'un filet de tarte à la fraise...

— Non mais t'arrêtes, là !

Avouez que ce serait super si le mot filet était la solution à tous nos problèmes !

Eh bien on n'en est pas si loin car j'apprends en compulsant les recueils de conférences, très bien faits par les nutritionnistes de l'endroit, qu'une portion de viande ne doit pas excéder cent à cent vingt grammes, et qu'une portion de poisson peut aller jusqu'à cent cinquante grammes.

C'est peu ! Moi j'ai toujours pensé qu'un steak devait faire au minimum deux cents grammes.

Bon, j'approfondis, et je vous résume.

OK. Ça y est, j'ai pigé.

– IV –

L'ÉQUILIBRE ALIMENTAIRE

Il faut manger de tout, car tous les nutriments sont indispensables à l'organisme, et il ne faut pas les éliminer de notre alimentation pendant des périodes prolongées sous peine de ralentir le métabolisme, ce qui entraînerait par la suite une prise de poids. « Quand organisme pas content, organisme toujours faire ainsi. »

Il y a deux catégories de nutriments : les nutriments énergétiques et les non énergétiques. Jusque-là, rien de bien compliqué.

On va donc s'occuper des premiers.

LES NUTRIMENTS ÉNERGÉTIQUES

Ils sont divisés en quatre catégories : les lipides, les glucides, les protéines et l'alcool.

L'alcool ? Chouette !

— T'énerve pas, dit Angelot, et commençons par le commencement...

a) Les lipides

Les lipides, plus vulgairement appelés graisses, sont bons si on n'en abuse pas. On ne va pas les compter, mais je commence à croire que c'est le maître mot de l'affaire : ne pas abuser. Cela dit, certains lipides sont meilleurs que d'autres.

C'est un peu comme l'histoire sur l'égalité des hommes. Les hommes naissent égaux, mais certains naissent riches et bien portants et d'autres pauvres et malades.

Les lipides sont bons parce qu'avec les protéines, ils participent... Non ! Pas au concours de Miss Monde... Bon, vous vous concentrez un peu, là ! OK, c'est un peu ardu, mais il faut bien en passer par là si on veut comprendre une bonne fois pour toutes comment ça marche. Vous savez qu'on ne lutte bien que contre ce que l'on connaît.

Alors, vous y êtes ? Je reprends.

Donc, les lipides participent avec les protéines à l'architecture et au contrôle de l'activité des organes. Et ils constituent la réserve d'énergie de nos cellules.

Ça vous en bouche un coin, non ? Moi, oui ! Je pensais que les lipides étaient tellement mauvais que c'en était presque un gros mot.

Je me trompais.

Les lipides sont indispensables.

Il y a deux grandes familles de lipides.
- Les lipides d'origine végétale : huiles, margarines, fruits oléagineux (avocat, olives, amandes, noix, noisettes).
- Les lipides d'origine animale : beurre, poisson, viande, œufs, laitages et charcuterie.

Tout ça, c'est autorisé.

— Chic, la charcuterie aussi ! s'esclaffe Diablotin, qui fait apparaître à l'instant même deux saucissons dans mes pupilles dilatées par l'envie, à la manière des dollars dans les yeux de Picsou.

— Oui, mais pas maintenant, plus tard, quand tu seras plus raisonnable concernant ton poids et tes envies, répond Angelot.

J'aime mieux ça.

L'idée de ne pas se priver à vie donne du courage.

C'est toujours ce qui m'a déprimée dans cette histoire de régime : l'idée que toutes les bonnes choses sont interdites... À vie ! C'est comme le bagne. Sans compter cette culpabilité qui me submerge dès que je fais le moindre écart.

Pour en revenir à nos moutons, qui sont meilleurs à caresser qu'à manger en méchoui, les lipides sont constitués de petits éléments appelés acides gras.

Il y en a deux catégories : les acides gras saturés et les acides gras insaturés. Les acides gras saturés sont les moins bons : ils augmentent la synthèse du cholestérol. On les trouve dans les lipides d'origine animale. Mais, attention, piège, car l'huile de coco et l'huile de palme sont saturées, et pourtant ce sont des huiles végétales. Mais qu'est-ce qu'elles font là ? C'est pour nous compliquer un peu la vie, sinon on s'ennuierait !

Les meilleurs, vous l'avez deviné parce que vous êtes très intelligents et que vous suivez, ce sont les acides gras insaturés, ceux d'origine végétale, qui se divisent encore en deux catégories : les acides gras mono-insaturés (huiles de colza, d'olive et d'arachide) et les acides gras polyinsaturés (les autres huiles, comme celles de maïs, de soja, de tournesol, de pépins de raisin...).

On les trouve aussi dans la volaille et le poisson.

C'est parmi ces derniers, les polyinsaturés, que l'on recense les acides gras essentiels dont notre corps à besoin et qu'il ne fabrique pas tout seul.

Après ça, on peut encore s'amuser à classer les polyinsaturés en diverses sous-catégories. Les acides gras insaturés en oméga-3, excellents pour la croissance, l'intégrité de la peau et la protection de notre appareil cardio-vasculaire. Ils facilitent l'absorption des vitamines A, D, E et K. On les trouve surtout dans les poissons gras : saumon, thon des mers froides, anguille, maquereau, hareng, sardine... Et les acides gras insaturés en oméga-6, qui viennent en complément des oméga-3. On les trouve essentiellement dans les huiles de maïs, de soja, de tournesol, de pépins de raisin...

Personne n'est encore d'accord au sujet du ratio oméga-3/oméga-6. Mais tout le monde pense qu'aujourd'hui on consomme trop d'oméga-6 et pas assez d'oméga-3. Enfin, ne nous occupons pas de cela, les spécialistes eux-mêmes sont assez partagés.

Ensuite viennent les acides gras insaturés en oméga-9, j'en passe et des meilleurs... Mais si, comme moi, vous n'avez pas en vue de passer votre diplôme de nutritionniste cette année, on va s'arrêter là.

Pour résumer :

Il faut privilégier la volaille et le poisson...

... Et ne pas trop lorgner du côté du beurre, de la charcuterie et autres viandes.

Mais attention, gare à la surdose.

Je sais bien que je me répète, mais on a tôt fait de n'entendre que ce qui nous fait plaisir et de se lâcher : « Youpi ! L'huile, c'est autorisé ! »

Ne dites pas le contraire, je suis la première à m'arranger pour comprendre tout de travers.

J'en ai fait l'amère expérience en me gavant de noix après mon accouchement parce qu'on m'avait dit que ça favorisait la montée de lait.

C'est peut-être vrai, quoique pas flagrant, en revanche, ça favorise nettement la montée des aiguilles sur la balance. Surtout quand on s'avale cinq cents grammes de cerneaux de noix dans la journée. Autant se servir un bon verre d'huile.

Et si je n'avais fait que ça ! Parlons des régimes dissociés où je me gavais de fromage, du moment que je ne mangeais pas de pain et puis après de pâtes, du moment que je ne les mélangeais qu'aux légumes, et puis de gras, du moment que je ne mangeais que ça.

J'ai fini par tout mélanger, je suis passée par des périodes de diète totale puis de boulimie incroyable, genre suicide alimentaire, alors j'ai bien l'intention de m'en tenir maintenant à une chose et une seule : l'équilibre alimentaire. Même si le résultat est plus long à venir.

Le gentil serveur m'apporte mon plat de résistance. Oh ! Un petit bout de blanc de poulet ! Bon, trêve d'ironie, je m'y attendais, après ce que je viens de lire, je m'imaginais bien qu'il n'allait pas débarquer avec deux sublimes côtes d'agneau bien grasses et bien grillées. Et puis d'abord ça m'est égal ! Je suis remontée à bloc, hyper motivée, tout est délicieux, formidable, et dans deux jours, les légumes seront un festin de roi.

Je me vois, je me sens déjà mince, la faim va s'envoler. Pas moi, hein ! En tout cas, pas encore, parce qu'à l'heure actuelle il faudrait une sacrée tempête pour me faire décoller.

Je mâche, je mâche. Je commence à regarder autour de moi. Quelques sourires, des saluts sympathiques.

Le fromage blanc, double portion : deux cents grammes, c'est bon, c'est doux...

Allez ! Un bon café et en route pour le Spa.

On va voir, mais je ne crois pas beaucoup aux vertus des bains bouillonnants. Les massages, oui, j'aime bien, mais le jacuzzi avec des petites bulles qui vous chatouillent, entre autres la plante des pieds, j'accroche pas, je m'ennuie ferme. On ne peut pas lire, on doit se tenir sinon on flotte. On ne peut même pas dormir. Je ne sais pas si je serai très assidue.

En revanche, les massages sous affusion, entendez par là sous un léger jet d'eau, ça, c'est cool ! On se couche sur la table de massage recouverte d'un plastique changé après chaque client pour l'hygiène, on vous enduit d'huile (à répéter quinze fois, pour améliorer la diction) et on vous masse. Le seul hic, c'est quand la charmante demoiselle vous dit : « Retournez-vous sur le ventre » et que vous tentez de vous exécuter. Avez-vous déjà essayé d'attraper une savonnette sur une nappe d'huile ? Non ? Alors c'est le moment de vous entraîner, sauf que là, la savonnette, c'est vous. Le jeu consiste à rester sur la table, et je vous jure que ce n'est pas facile. Il faut s'accrocher. Et comme il n'y a rien à quoi s'accrocher, débrouillez-vous.

Ce qu'on peut avoir l'air godiche à poil, les cheveux gras et détrempés sous la charmante charlotte plastique que l'on refusera la prochaine fois.

Plutôt se laver les cheveux dix fois par jour que de remettre ce machin-là.

Je l'ai déjà porté dans *Julie Lescaut*. J'allais voir mon mari Paul, qui avait subi une opération sérieuse, et je rentrais en salle de réanimation avec une grande blouse verte, deux chaussons genre bonnets de douche aux pieds et ce bonnet façon préservatif sur la tête. Ils avaient voulu jouer le réalisme, ce que je peux concevoir, mais une scène de séduction dans cet accoutrement, c'est du suicide. Nous sommes partis dans un gigantesque fou rire dont nous ne pouvions plus nous dépêtrer, le coiffeur avait beau essayer de faire sortir quelques mèches de cheveux, nous avions toujours des têtes pas possibles, ce qui décida notre metteur en scène à nous les retirer. Les bonnets, bien sûr, pas les têtes.

Il se rassura en se disant qu'après tout, nous tournions une fiction !

Et moi, après tout, dans mon Spa, je ne concours pas pour Miss Univers et j'ai un excellent shampooing.

Un petit saut dans le sauna, je me détends... Une bonne douche glacée, un bon transat et je bouquine... Qu'est-ce que je vais bien lire ? Oh allez ! Je continue les conférences sur la diététique. On est là pour ça et c'est très instructif.

On en était où, déjà ? Ah oui ! Après les lipides...

b) Les protéines

Elles se composent de petits éléments qu'on appelle les acides aminés et que notre organisme ne fabrique pas.

Les protéines sont essentielles à notre organisme.

Et, voyez comme la nature est bien faite, pour ceux qui ne mangent pas de viande, il y en a dans les céréales ! Bon, comme pour les légumineuses, il manque aux céréales des acides aminés essentiels, mais c'est mieux que rien. Et il est fortement conseillé d'en manger. Les végétariens, eux, devraient en consommer tous les jours.

Il a pensé à tout, le Grand Architecte.

Vous ne vous êtes jamais demandé comment c'était au début des temps ? Est-ce que tout de suite nous avons su ce qui était bon pour nous ?

L'homme mangeait de la viande quand il en attrapait, ça on le sait, mais quand il revenait bredouille et que son estomac gargouillait ? Est-ce que c'est là qu'il a commencé à tester les racines et les fruits ? Était-ce inné ou s'inspirait-il du choix des animaux ? Il a dû y en avoir, des intoxications alimentaires, avant le début de l'agriculture !

À cette époque, il ne devait pas y avoir de gros, mais on ne vivait pas bien vieux non plus.

Paradoxalement, de nos jours, c'est quand on est trop gros qu'on a le plus de risques de mourir jeune.

Et finalement, allez savoir ce qu'on entend par trop gros ou trop maigre. Selon les périodes, les critères évoluent et ne sont pas forcément frappés au coin du bon sens.

Qu'on parle de l'époque de Maillol, où les canons de la beauté voulaient des femmes rondes, voire corpulentes, ou de celle de Kiraz, où les Parisiennes sont des genres de fils de fer tout en jambes, on n'est jamais dans la norme.

Aujourd'hui les mannequins se rendent malades pour figurer dans un défilé. Déjà maigres, elles doivent perdre trois kilos pour être choisies. Alors elles courent chez le médecin pour qu'il les aide à perdre un os. À croire qu'on leur a déjà liposucé le cerveau...

Ces pauvres choses, victimes de notre époque, perdent la vie pour faire croire à d'autres, qui bavent devant les magazines féminins à en devenir anorexiques, que c'est comme ça qu'il faut être pour atteindre le bonheur, être aimé et adulé.

Je leur en veux, à tous ces bookeurs et magazines qui travestissent des gamines d'à peine quinze ans et qui, ce faisant, remplissent les salles d'attente de médecins plus ou moins charlatans.

Et depuis peu ça se complique. Maigre, oui, mais avec une poitrine de 95 bonnet D minimum, un petit nez à la retrousse, des hanches étroites mais des fesses tellement rebondies qu'elles peuvent servir de guéridon, et surtout une grosse bouche ! On voit ainsi une flopée de jeunes talents se faire greffer deux Zodiac à la place des lèvres, en jurant leurs grands dieux qu'elles n'ont rien touché.

Elles ont oublié qu'on les avait déjà vues et qu'on ne croit pas au gros moustique qui est venu la nuit dernière les piquer de sa trompe magique au même titre qu'on ne croit plus au Père Noël.

Et si ça s'arrêtait là ! Mais non, quand elles ont mis le pied dedans, elles continuent. Et un petit coup ici, et un autre là...

Et ce qui aurait pu être acceptable devient immonde.

Je ne dis pas que la chirurgie esthétique ne doit pas se pratiquer quand elle est réparatrice ou quand elle intervient sur un défaut qui gâche la vie. Employée à bon escient et accompagnée psychologiquement, elle fait des merveilles.

Je ne dis pas non plus que quelques petites retouches ou un lifting quand on ne peut plus se regarder dans la glace le matin parce que ça pendouille là ou que, malgré une bonne nuit de sommeil, on se réveille les yeux pochés comme Kermit la grenouille, ne sont pas salvateurs.

Je ne dis pas, enfin, que je n'y aurai pas recours un jour par petites touches.

Non, je dis que souvent le résultat fait tellement peur que je n'aimerais pas me réveiller et ne plus me reconnaître. Je ne voudrais pas de surcroît ressembler à toutes ces femmes qui, de crainte de paraître trop vieilles, n'ont plus d'âge ou en font le double.

Là aussi, il s'agit de modération, toujours le maître

mot... Qui me ramène à notre sujet : les nutriments énergétiques.

On a parlé des lipides puis des protéines, maintenant voyons...

c) Les glucides

Moi j'adore les glucides et je crois que ce n'est pas ce que je fais de mieux. Voyons voir...

Alors là, surprise ! Je pensais que j'allais voir un énorme sens interdit sur la feuille, mais pas du tout, la forme de glucide directement assimilé par notre corps s'appelle le glucose, et on va s'en faire un pote parce qu'il est particulièrement important pour notre cerveau et pour nos globules rouges.

Les muscles aussi en ont besoin, même s'ils peuvent se débrouiller pour trouver leur source énergétique ailleurs, et notamment dans les protéines.

Ouais ! Trop bien ! Je vais faire un ou deux pas de danse pour exprimer ma joie. Arghh ! Vite, un peu de glucose, je sens bien que je deviens ramollie du neurone.

— T'en fais pas un peu trop, là ? remarque Angelot. Il faut quand même vingt-quatre heures en période de jeûne avant d'en manquer.

C'est vrai, quand il en manque, l'organisme va puiser dans les réserves de graisses corporelles et de protéines, mais cela peut entraîner une perte musculaire.

Donc on ne déconne pas avec les diètes débiles qui vont nous bousiller nos beaux muscles fuselés.

Si, si, fuselés ! Pourquoi, pas vous ?

Oh ! On peut rêver, non !

Et où les trouve-t-on, ces bons vieux glucides ? Dans les céréales (encore) les légumes secs, les féculents, les produits laitiers (sauf le fromage), les fruits, le sucre, les sucreries.

En gros, dans tout ce qui est bon. Ouf !

Il est rassurant de se dire
qu'on ne devra pas se passer de glucides.

Enfin, à long terme, parce que à la vue de ce que je mange, je peux vous dire que dans un premier temps on va pas souvent leur rendre visite.

— Si, dans deux jours, tu auras des fruits, me rappelle Angelot.

— Ah oui ! C'est vrai ! J'ai rien dit.

Je ne vais pas vous rechanter le couplet de la modération, mais sans être très savante, je suis sûre qu'il sera toujours préférable de les choisir parmi les féculents, les fruits ou les céréales que dans le sucre et les sucreries.

Un petit test pour voir si tout le monde a bien compris.

— On se sent fatigué après un effort, on avale quoi ?

— Un éclair au café ?

Mauvaise pioche, au suivant.

Et si on parlait des alcools pour faire couler tout ça ?

d) L'alcool

Fausse joie ! Car l'alcool est bien un nutriment énergétique, certes, mais...

L'alcool n'a aucun intérêt nutritionnel.

Et il est malheureusement très toxique. (J'aime bien le « malheureusement », il m'a échappé !)

Il aurait même un effet contraire à celui qu'on recherche, car il stimule la fabrication de tissus graisseux. (Oh le vilain !)

Il stimule la synthèse du cholestérol. (Pas beau, va coucher !)

Et il empêche notre organisme d'aller fabriquer du glucose en puisant dans nos réserves de graisse ou de protéines. (Gros nul !)

Il y a de quoi être fâché à mort avec lui.

Moi, en tout cas, ça y est, je le boude.

Je ne l'ai d'ailleurs jamais beaucoup fréquenté, mais un bon verre de rouge capiteux, j'aime bien de temps en temps.

Ne disons pas « Tonneau nous ne boirons pas de ton vin », on ne sait jamais. En plus, je vois qu'un petit verre au repas ne sera pas interdit.

– Mais pas tout de suite !

– Oh là ! Te fâche pas, Angelot, je ne suis pas débile quand même. Pour l'instant, on reste à l'eau un maximum.

Qu'est-ce qu'on se sent bien, tout décrassé !

On boit de l'eau, on vit dans l'eau.

En parlant de boisson, je nous ai dégotté les recettes des tisanes qu'ils nous servent au Spa. Elles sont délicieuses et ont des vertus anticellulite ou amincissantes.

Ah ! Là, je vois que ça vous réveille.

Allez-y, vous ne risquez rien, ce ne sont que des plantes, ça ne peut pas faire de mal. Je les ai testées pour vous et si l'amincissante n'est pas mauvaise, l'anticellulite est un peu plus dure à avaler. Mais en les mélangeant, c'est pas mal.

TISANE AMINCISSANTE

Composition pour 100 g :
- 20 g de fleurs de sureau
- 30 g de barbes de maïs
- 10 g de karkadé
- 20 g de fleurs de cassis
- 20 g de cosses de haricot

TISANE ANTICELLULITE

Composition pour 100 g :
- 20 g de *Fucus vesiculosus*
- 20 g de séné
- 10 g de feuilles de cassis
- 10 g de vigne rouge
- 20 g de feuilles de pissenlit
- 10 g de feuilles d'armoise
- 10 g de réglisse

Il doit bien y avoir un herboriste pas trop loin de chez vous. Vous y courez et vous lui faites préparer un grand sachet de chacune. Surtout, faites-vous expliquer comment on les prépare. Si on veut que ce soit efficace, il faut le faire correctement. Il faut les faire bouillir dans l'eau un petit moment et les laisser infuser pas mal de temps après. En fait, cela s'appelle une décoction.

– V –

LE RÉGIME À 1 000 CALORIES :
PROVISOIRE !

Dans le grand couloir qui me ramène à l'hôtel, je passe devant la salle de sport. C'est pas trop ma tasse de thé, je vous l'ai déjà dit, mais dans leurs documents, j'ai lu qu'il y avait des promenades organisées par niveau. Je ne vois pas quel genre de niveau on peut avoir en balade, mais s'ils le disent... Alors, vous êtes quoi, en balade, vous, ceinture flanelle ou ceinture cloutée ?

Moi, je suis ce qu'ils veulent, du moment que je ne me promène pas toute seule. C'est un peu comme au ski, dès que je suis seule, je ne sais pas où aller et je choisis toujours le même circuit de peur de me perdre. Et pourtant, j'en ai fait, des exercices de reconnaissance de terrain et d'orientation, quand je pratiquais l'équitation !

Notre moniteur s'était mis en tête de faire de nous des guides ou un truc dans le genre et, de temps en temps, après avoir embarqué chevaux et cavaliers dans le grand van et nous avoir déposés, deux par deux, avec nos chevaux, une boussole et une carte en pleine forêt, il nous abandonnait tels de Petits Poucet en charge de retrouver le chemin de leur maison.

Je vous avoue que je n'étais pas excellente à cet exercice et que, n'étant pas fille de chef indien, je ne savais ni lire dans le crottin de cheval ni suivre une trace. En revanche, je savais lire et remercie les poteaux indicateurs qui ont permis que je ne sois pas, à l'heure qu'il est, en train de hanter les forêts alsaciennes.

Donc, où que j'aille et ne connaissant rien à la région, je préfère suivre quelqu'un qui, par-dessus le marché, me montrera directement les meilleurs endroits.

Il y a deux promenades le matin et deux l'après-midi. Allez, je m'inscris à celles de demain après-midi. Eh oui, aux deux ! Je n'y vais pas par quatre chemins.

Celui que j'emprunte à la seconde mène droit chez mon kiné pour, cette fois je l'espère, un massage détente.

Ah oui ! C'est bon, mais ça ne l'empêche pas d'insister un peu sur les zones engorgées, comme il dit, et même s'il ne m'a pas trempée dans les orties, je dérouille.

— Plus on va insister et moins vous aurez mal, mais il faut faire circuler.

« Circulez ! Y a rien à voir ! » hurle la Julie Lescaut tapie dans l'ombre et qui espère qu'une petite crise d'autorité policière suffira. Que nenni ! La prochaine fois j'apporte un truc pour mordre dedans. Je ne vais quand même pas lui demander une anesthésie locale.

Je sais, je ne devrais pas me plaindre. Vous n'avez pas, comme moi, la chance d'être ici et de vous faire torturer. Pour me faire pardonner, je vais vous donner un truc que m'avait fait faire un médecin nutritionniste et qui avait très bien fonctionné.

C'est pas facile à expliquer, mais c'est vraiment très simple. Il suffit de raidir les doigts comme une fourchette et de masser en remontant et en appuyant, assez fermement mais sans vous faire mal, des genoux jusqu'en haut des cuisses et sur chaque zone où on veut activer la circulation. Moi je le faisais pendant cinq minutes, et il y a eu des résultats assez surprenants au niveau du volume. Je m'y remets dès que je suis de retour chez moi. C'est la régularité de la chose qui la rend efficace. Et, au passage, ça muscle aussi les bras.

Cette journée tire à sa fin. Je n'ai pas craqué. J'espère que vous non plus. Au fond, ce n'était pas si difficile. Et, puisqu'il nous reste cinq minutes avant que le festin ne débarque dans ma chambre avec ses farandoles d'omelettes aux œufs et son suprême de rôti de veau sauce transparente, je vais me pourlécher les babines et nous faire saliver en compulsant la suite du programme que m'a laissé le bon docteur. À quoi va-t-on avoir droit dans deux jours ?

Alors ? Nous allons finir le séjour avec un régime équilibré à 1 000 Calories. C'est très peu, mais c'est pas long. Et puis c'est pour accélérer un peu la perte de poids et se donner le moral ; mais si c'est encore trop ardu pour vous, rien ne vous empêche de nous attendre un peu plus loin. Vous perdrez quand même.

Donc, pour celles et ceux qui sont comme moi impatients de voir s'afficher la dizaine en dessous, je continue.

LE MATIN

- Thé ou café sans sucre.
- 20 cl de lait écrémé ou 1 yaourt 0 % ou 100 g de fromage blanc 0 % (avec faux sucre, bien sûr). On lit bien « ou » et pas « et ». Je ne souligne pas.
- 40 g de pain (2 tranches ou l'équivalent de 1/2 petit pain du commerce). Non ! Posez ça ! Vous êtes fous, je n'ai pas dit les tranches de pain coupées au centre de la grosse miche ! On ne peut pas tourner le dos une seconde.

Pesez-les une fois, après vous saurez et vous couperez au jugé. On n'est pas à trois grammes près.

- 10 g de beurre (1 cuillerée à café ou les petites portions enveloppées qu'on sert dans les hôtels). Vous verrez, c'est bien suffisant pour beurrer votre pain.

82

À MIDI

- 1 part de crudités avec une petite sauce vinaigrette allégée que je vais vous chiner pas plus tard que demain.
- 100 g de viande blanche ou 150 g de poisson.
- 200 g de légumes verts (pas avec 100 g de beurre, bien sûr).
- 1 yaourt 0 % et 1 fruit (150 g).

Si vous avez toujours une petite fringale vers 17 heures, vous pouvez épargner un fruit du déjeuner et un yaourt du soir, par exemple.

LE SOIR

- 100 g de viande.
- 200 g de légumes verts.
- 1 yaourt 0 % et 1 fruit (150 g = 3 abricots = 1 pomme = quelques grains de raisin... Eh oui, c'est très sucré, le raisin ! Mais ça je vous l'ai déjà dit).

Finalement, c'est pas mal, non ? Qu'est-ce que vous en pensez ?

J'ai hâte d'y être.

Vous en faites une tête ! Vous trouvez que c'est trop léger ? Allez, courage les copains, je vous jure qu'on va se sentir super bien. Et puis je vais vous donner plein de petites recettes et plein de conseils pour bien continuer.

Tiens, parlons des viandes. On a dit tout à l'heure qu'il valait mieux privilégier la volaille et le poisson. C'est vrai, mais on peut trouver dans chaque catégorie des viandes qui sont en dessous de 8 % de matières grasses, ce qui est la teneur maximum conseillée en période de perte de poids.

Par exemple, dans le porc, le filet mignon et le filet pour faire des rôtis comportent moins de 5 % de matières grasses.

Dans la charcuterie, le jambon cuit, le bacon fumé, le jambonneau et l'épaule cuite dégraissée sont à moins de 6 % de matières grasses.

Les abats aussi sont bons et, à part la cervelle et la langue de bœuf, on peut manger des ris de veau, des rognons, du cœur, du foie, qui renferment tous moins de 7 % de matières grasses.

Dans le veau, la noix, le jarret, le filet, le bas de carré sont à moins de 7 % de matières grasses.

C'est pas mal quand même, il y a de quoi faire. Ah ! Je vois que le sourire revient. Alors, on s'achète une bonne poêle antiadhésive pour cuisiner sans ajout de graisse et on se régale.

C'est cool de se dire qu'on ne fera plus le yo-yo, et si vous avez décidé d'arrêter de fumer et que la peur de prendre du poids vous freine, je vous promets qu'avec toutes ces bonnes habitudes alimentaires vous pourrez sérieusement limiter les dégâts.

Pourquoi je dis limiter ? Parce qu'il est normal de prendre un peu de poids quand on arrête la cigarette. Non, pas autant que moi, rassurez-vous ! Moi j'ai sérieusement déconné.

Disons qu'il est normal de prendre deux ou trois kilos, que l'on reperdra très vite. Au maximum dans les deux ans.

Pourquoi ? Parce que si la cigarette a beaucoup de défauts, comme d'augmenter les risques de cancer, d'infertilité, de maladie cardio-vasculaire, de vieillissement prématuré de la peau, entre autres, elle a aussi, pour les humains que nous sommes, contraints de vivre dans une société faite d'apparences et qui ne laisse que peu de place aux rondeurs, certaines vertus.

Elle diminue la sensation de faim.

Elle augmente le métabolisme de base d'environ 6 %. Ce qui veut dire que, sans bouger, un fumeur peut dépenser 200 Calories de plus qu'un non-fumeur.

Que de raisons pour continuer ! Quand vous les voyez sur leurs machines en train de courir ou de pédaler et qu'au bout d'une demi-heure, alors qu'ils sont en eau, le compteur affiche qu'ils ont dépensé 200 Calories, vous vous dites que, bien installé dans un fauteuil avec un bon bouquin et une bonne cigarette, on n'est pas si mal.

Eh bien, moi qui en ai fait l'expérience, je peux vous dire que, malgré tout, non ! Et même après avoir pris mes dix-huit kilos, je suis quand même contente d'avoir cessé de fumer, car depuis je ne suis plus essoufflée quand je monte des escaliers, je n'ai plus une haleine de poney au réveil, ma peau s'est déplissée, mon teint est plus clair et puis c'est une belle victoire sur moi et sur la dépendance.

De plus je ne suis pas mécontente de faire la nique à ceux qui nous incitent d'un côté et nous punissent de l'autre. Quel paradoxe quand même ! Et personne ne râle !

L'État continue à nous vendre un produit qui nuit gravement à la santé – c'est le moins qu'on puisse dire, puisqu'il tue. Je n'invente rien, c'est écrit en gros sur les paquets. Mais en plus, il surtaxe ledit produit et nous interdit de le consommer dans les lieux publics à grand renfort d'amendes. C'est un peu fort de café, quand même ! C'est comme les voitures, elles peuvent rouler de plus en plus vite et nous de plus en plus lentement. C'est à se demander si on ne crée pas exprès des tentations pour pouvoir nous punir d'avoir envie de les utiliser. Sauf qu'avec la cigarette, on crée, en plus, une dépendance.

Comble de tout, en ce qui nous concerne ici, après avoir été bien intoxiqué, quand on décide d'en finir avec cette addiction, on grossit.

Ça mériterait de demander le remboursement de trois semaines en cure d'amincissement. Vous ne trouvez pas ?

Mais peut-être nos décideurs estiment-ils que l'argent non dépensé dans les débits de tabac suffit à nous satisfaire. C'est vrai que, quand on fait le calcul, un fumeur dans mon genre, c'est-à-dire à un paquet par jour, dépenserait aujourd'hui 1 825 euros par an. C'est hallucinant, non ?

Soit dit en passant, je n'ai pas l'impression d'être un dinosaure, mais où sont les paquets à cinq francs que je fumais il y a quatre ans ? J'ai le sentiment qu'on s'est bien fait avoir, aussi, avec le passage à l'euro.

Mais à qui profite le crime ? Pas à nous, qui une fois notre salaire converti en euros par la simple multiplication par 6,56, n'avons vu aucun changement. En revanche, quand je vais prendre un café ou acheter une baguette de pain ou un kilo de pommes de terre, je me demande toujours s'ils ne se sont pas trompés d'étiquette et s'ils ne m'annoncent pas le prix en francs.

Mais malgré tout, avec 1 825 euros d'économie, on peut s'en payer des trucs ! Alors imaginez si vous êtes deux, ou si vous fumez deux fois plus... Moi je vous dis tout ça, mais je ne vous force pas à arrêter. Vous pouvez continuer à vous empoisonner et à servir de vache à lait à l'État, c'est votre droit. Je ne suis pas du style à gâcher la vie de ceux qui continuent. La fumée ne me gêne même pas. J'ai réglé mon problème et suis de celles qui pensent que respirer place de la Concorde aux heures de pointe est plus nocif que de se retrouver à côté de quelqu'un qui s'en grille une petite.

Pourquoi, de nos jours, est-on obligé de légiférer sur tout ? Ne serait-il pas mieux, encore une fois, d'en passer par une bonne éducation du civisme de chacun ? On déciderait de se parler. « Excusez-moi, la fumée ne vous dérange pas ? »

Ce qui me fait penser à un truc dont je voulais vous faire part et qui est aussi valable pour l'amincissement que pour l'arrêt du tabac et bien d'autres choses. C'est la force des mots. Ou plutôt le choix des mots.

Je m'explique. Si quelqu'un vous offre une cigarette et que vous répondez : « Non merci, je ne fume pas », votre interlocuteur passe directement à un autre sujet, car il est convaincu que vous n'avez jamais fumé. Donc aucune question autour du tabac, et il ne vous en proposera pas la prochaine fois qu'il en prendra une.

Alors que si vous lui dites : « Non merci, j'ai arrêté de fumer », vous risquez de vous éterniser sur les questions qui vont découler et, si vous êtes encore fragile, de faire naître l'envie. Sans parler de tous ces petits marrants qui mettront un point d'honneur à vous faire craquer parce que eux sont incapables de s'y coller.

À une époque, pour me payer leur tête alors que j'avais repris la cigarette après une interruption de deux ans, je leur disais tout au long de la soirée que j'avais arrêté. Et au moment où, vils tentateurs, ils me tendaient leur paquet en faisant semblant d'avoir oublié, j'en prenais deux, les allumais sous leurs yeux étonnés et disais :

— Ben quoi ! J'ai arrêté d'arrêter de fumer, maintenant je fume le double.

Pareil pour l'amincissement.

Ne dites jamais que vous êtes au régime.

Je vous conseille même de bannir ce concept à vie.

À partir d'aujourd'hui, ne prononçons plus ce mot. Faisons comme si c'était devenu un gros mot.

On pourrait dire : je fais attention à ce que je mange, je choisis ce que je mange, je me régale, je déguste... C'est une liste non exhaustive. J'attends vos propositions, mais elles sont d'ores et déjà toutes acceptées si elles vont dans le sens du plaisir.

Allez, on fait comme ça ! Je suis persuadée que ça va nous changer la vie.

Toc toc toc, qui est là ? C'est l'plateau-repas que v'là !

Je suis d'excellente humeur, ce qui change de la veille, et le serveur n'a pas mis son habit de gladiateur pour nourrir le fauve. Je n'ai pas dû le terroriser tant que ça, hier soir !

Dans une assiette et joliment à l'abri sous une cloche, un bout de poisson, dans l'autre – je soulève –, un bout de rôti de veau et, pour le dessert, oh, surprise ! Du fromage blanc ! Je ne m'y attendais pas du tout.

Je vais être légère pour dormir, et ce soir je n'ai pas trop faim. Il m'arrive d'ailleurs chez moi de me passer de manger le soir car, selon le vieil adage, qui dort dîne ! Mais non, c'est n'importe quoi !

Il ne faut pas supprimer le repas du soir
car votre organisme continue de dépenser de l'énergie
quand vous dormez !

C'est écrit en gros là, sur ma feuille.

D'abord, cette phrase, « Qui dort dîne », souvent écrite dans les auberges du Moyen Âge, ne voulait pas dire qu'on devait dormir au lieu de manger. Au contraire. Elle signifiait que les gens qui désiraient dormir à l'auberge devaient aussi y dîner.

J'ai lu, il y a quelques années, un livre qui donnait les origines de certaines expressions et de certains mots. C'est fou ce que la vulgarisation les a transformés. On dit « tomber dans les pommes », par exemple, pour « tomber dans les pâmes (en pâmoison) », ce qui explique bien des choses et évite à chaque fois qu'on s'évanouit de devoir le faire dans un verger ou de se faire livrer sur-le-champ par l'épicier du coin.

Il y a aussi « sabler le champagne ». Moi, quand j'étais petite, je me disais que c'était parce que souvent on accompagnait cette délicieuse boisson si typiquement française de succulents petits sablés... Eh bien, pas du tout ! On le « sabre », le champagne. Ce que j'ai fini par tenter plusieurs fois dans ma vie et qui n'est pas évident, mais beaucoup plus rapide que de faire sauter le bouchon. Maintenant, il faut avoir un sabre, et ça, de nos jours, c'est une denrée plutôt rare.

Et qui a déjà cuisiné des « pommes en robe de chambre » alors qu'en « robe des champs », c'est beaucoup plus facile et moins coûteux pour la garde-robe ?

Les mots se sont déformés pour glisser vers une imagerie populaire et poétique. Comme un de mes petits frères qui, à trois ans, avait répondu à ma mère alors qu'elle lui demandait si sa salade était assaisonnée : « Non, elle est trop zonée, ta salade. » Du verbe zoner qui, à ce moment-là, je pense, voulait dire acide.

Et puis il y a aussi les mots importés comme « vasistas », qui serait la traduction de *Was ist das* (« Qu'est-ce que c'est ? » en allemand), question qui aurait été posée par un officier en montrant ladite fenêtre.

Ou de bistrot, qui voudrait dire « vite » en russe et qui viendrait du temps où ces messieurs entraient, pressés, dans nos cafés pour boire probablement en loucedé leur rasade d'alcool. Je n'y étais pas, j'extrapole.

Pareil pour le nom « kangourou » qui, en partant du même principe que vasistas et à cause d'un traducteur légèrement tête en l'air, voudrait dire « Qu'est-ce que c'est ? » en dialecte aborigène local.

Il y en avait des centaines comme ça dans mon livre. Je ne me rappelle plus son titre, mais je demanderai demain à la librairie.

J'essaierai aussi d'acheter un ouvrage sur les tableaux de Calories. Je sais qu'il en existe des tout petits qui répertorient tous les produits de toutes les marques et qu'on glisse facilement dans son sac. C'est hyper, super, ultra important d'avoir ce qu'il faut pour préparer la liste des courses de la semaine avant d'aller au supermarché. De même qu'il est préférable d'y aller sans enfants et le ventre plein, pour ne pas craquer à toutes les tentations.

Si le réfrigérateur ne contient que ce que nous pouvons manger et que nous avons concocté un régime équilibré pour les jours à venir, nous serons moins victimes de nos petites fringales.

Allez ! Sur ces bonnes paroles, en route pour une bonne nuit dans les bras de Morphée.

Il fait beau, il ne fait pas encore très chaud, la vie coule comme une chanson... Vous avez remarqué, il y a toujours un air de circonstance qui m'accompagne.

Ce matin, je pète le feu, j'ai bien dormi, je me sens dans une forme olympique, prête à escalader des montagnes. Et c'est ce que je vais faire dès cet après-midi, d'ailleurs. Une fois le yoga terminé, le petit déjeuner avalé, les soins et papouilles expédiés et le déjeuner ingurgité...

— Stop ! Pourquoi t'es pressée comme ça ? me demande Angelot.

— Parce qu'ils connaissent le programme par cœur et que je n'ai pas besoin de leur seriner ce qu'ils doivent manger.

— Mais si, insiste-t-il. Tu ne te souviens pas de ce que tu t'es dit hier soir ?

Non !

— Qu'il y avait certainement des moyens d'accommoder les protéines pour que ce moment devienne plus sympa et que, le cuistot les connaissant, tu allais lui faire ton numéro de charme pour qu'il te les confie.

— Ah oui, c'est vrai ! Je termine et j'y vais.

Pour commencer, je vais lui demander comment il a fait pour rendre cette volaille si moelleuse.

Il est très sympathique, ce jeune homme, et me reçoit cordialement dans sa belle cuisine-laboratoire où une foule de mitrons s'affairent à diverses préparations culinaires.

Une jolie pâtissière, dans son coin pâtisserie, me fait un charmant sourire.

J'aimerais bien connaître ses secrets.

— Mais il n'y a pas de secrets, me dit-elle. Il faut inventer et travailler avec des produits légers comme le fromage blanc, les œufs en neige, le sucre édulcorant et de la gélatine en feuilles pour rigidifier un peu les appareils.

Ah bon, c'est si simple que ça ?

— Je croyais que tu étais ici pour avoir des tuyaux sur les recettes à base de protéines ? me réprimande Angelot.

— Ah oui, c'est vrai !

On ne se refait pas, hein ? Dès qu'il y a des gâteaux dans le coin, je perds mes moyens.

Je me recentre. Mais ne partez pas, mademoiselle, je reviens, nous avons beaucoup de choses à nous raconter.

Accommodez vos protéines afin d'égayer vos assiettes.

— Qu'est-ce que je peux faire pour que ce ne soit pas trop triste ? Parce que, si j'ai bien compris, il faut faire cuire les viandes et les poissons sans la peau et sans ajout de graisse.

— C'est bien ça, me confirme le cuistot. Mais il y a plein de modes de cuisson qui peuvent faire de nos viandes et de nos poissons des régals.

Il y a les bouillons et les marinades. On peut mettre toutes les herbes et épices, tout l'ail et l'oignon que l'on veut dans nos marinades et on peut même utiliser de la moutarde pour relever le goût, mais très peu, attention, juste une cuillerée à café.

On peut faire cuire en papillote ou à la vapeur.

On peut faire des semblants de sauces sucrées-salées avec de la sauce soja et du sucre édulcorant, et en arroser nos viandes pendant la cuisson, ce qui donnera un goût caramélisé.

On peut même utiliser un peu de Maïzena pour épaissir les sauces. C'est de la fécule de maïs. Mais attention, la Maïzena n'est pas moins calorique que la farine de blé, c'est juste qu'il en faut deux fois moins pour le même effet et qu'elle est deux fois plus légère. Cela dit, si vous y arrivez, je vous conseille de l'éviter pendant ces premiers jours. L'œuf est aussi un excellent épaississant. Mélangé à du bouillon et des épices, il peut aider à préparer une bonne sauce qui restera une source de protéines.

On peut utiliser la viande des Grisons, qui est de la viande de bœuf salée, séchée et épicée, à la place du lard, en bardant un bout de blanc de poulet sans la peau, qu'on aura badigeonné d'un peu de moutarde et saupoudré d'herbes aromatiques et d'un peu d'eau pour le rendre plus moelleux, avant de le mettre au four dans une papillote d'aluminium.

Des idées, il y en a des centaines, que l'on peut glaner çà et là sur Internet et dans les livres de cuisine.

La variété des recettes
rendra le démarrage de votre cure plus facile.

Il faut prendre le temps de s'y intéresser.

Pour le poisson, on peut se faire une sauce à base de fromage blanc 0 %, d'un peu de moutarde, de jus de citron et de ciboulette.

Ou, si on l'a fait cuire dans le bouillon, se mijoter une sauce tiède, à base de ce bouillon mélangé à un peu de fromage blanc ou de yaourt 0 %, qu'on fera chauffer à feu doux avec une pointe de moutarde, de citron et de persil par exemple.

Une fois le poisson nappé de ce magnifique fumet, on se régale littéralement ! Et à part le citron et le persil, vous remarquerez qu'il n'y a que des protéines.

Il y a aussi les épices indiennes, qui font voyager nos papilles gustatives.

Je suis sûre qu'avec un peu d'imagination, vous saurez faire de ces quelques jours un festin.

Surtout que, pendant cette période, il n'y a pas de

restriction côté quantité, et que vous pouvez manger à votre faim du moment que vous ne sortez pas des protéines ni de l'heure des repas. Moi, j'essaie de ne pas manger trop car je voudrais aussi maîtriser ma propension à l'excès.

Ah, un conseil ! Mangez aux repas même si vous n'avez pas faim, et mangez avant d'avoir trop faim pour ne pas vous transformer à l'heure dite en bête sauvage incapable de contrôler ses instincts. Je sais, c'est un peu fort comme image, mais il y a des moments où l'on n'en est pas loin. Sans rire.

– VI –

BOIRE ET BOUGER

Je sors de là satisfaite, non sans avoir pris rendez-vous prochainement avec le chef pour d'autres conseils sur la suite des événements. Chaque chose en son temps.

— Allez, cours vite enfiler ta tenue de randonnée dernier cri et précipite-toi au rendez-vous, non sans avoir au préalable rempli ta gourde d'un bon litre et demi d'eau.

— Mais non, c'est pas toi, la gourde ! La bouteille, si tu préfères, rectifie Angelot.

— Tu m'as fait peur ! Je me voyais déjà me remplissant d'eau pour la journée comme les chameaux. Ça aurait pu être drôle. « C'est quoi ce floc floc que tu fais en marchant ? » « C'est ma réserve. Touchez ma bosse, Monseigneur ! »

Remarquez, qu'ont-ils fait d'autre, ceux qui ont inventé le Camel Bag ? Vous ne savez pas ce que c'est ? Moi non plus, je ne connaissais pas cet objet il y a un an, et puis en faisant des courses au magasin de sport du coin pour la classe de nature de Sam, je suis tombée dessus. C'est génial et totalement emprunté à la bosse du chameau, justement.

C'est une poche d'eau que vous mettez dans un endroit aménagé de votre sac à dos, et un tuyau muni d'un petit embout vous sert de tétine. Tiens, j'aurais dû prendre ça, c'est beaucoup moins lourd qu'une bouteille.

— Salut ! Je viens pour la promenade. On est combien et qui nous emmène ?

On est trois ! Hou, là, là, il y a foule !

Mais où sont-ils, tous les courageux ?

On se présente.

— Bonjour, me dit une blondinette sympathique et rondelette (ça fait un peu pléonastique de dire ça ici), je m'appelle Isabelle, et voici ma sœur Véronique.

Ça va être facile ! Il doit y avoir deux Véronique sur toute la cure et elles sont là, dans cette salle.

Qu'à cela ne tienne ! Appelez-moi Véro, ou Charlotte ou Sarah, tiens, comme le faisait mon père en l'honneur de Sarah Bernhardt.

Pour la petite histoire, quand j'étais enfant – puisqu'il nous a quittés avant mes dix ans– , j'aimais lui réciter des poésies ou mettre en scène des fables de La Fontaine que nous jouions, mon frère et moi, avec notre théâtre de marionnettes. Il adorait et m'appelait « ma grande Sarah ».

Vous comprendrez que j'affectionne particulièrement ce nom et que je me sois juré, si j'avais eu une fille, de l'appeler ainsi. Mais le sort en a décidé autrement et j'ai un beau garçon.

Ah ! Voilà notre professeur, elle se nomme Frédérique et est toute mignonnette, jeune, sportive.

— On va se faire la grotte au pigeon, nous dit-elle. Une balade d'environ une heure dans la montagne environnante.

— Du bobent qu'on ne barche bas dans les grottes de Giens, dis-je comme si j'avais le nez bouché.

OK, je sais, c'est un jeu de mots très facile, mais ça me fait toujours rire.

J'adore les mauvais calembours et je dois dire que plus ils sont approximatifs et plus ça m'enchante.

Durant un tournage, quelqu'un était arrivé un matin avec une blague très courte comme nous les aimons : « Qui mange du chien, chihuahua ! » Je ne vous mets pas les points sur les « i », je pense que vous avez compris.

Durant la journée, nous n'avons cessé d'en trouver du même acabit. « Qui mange du chien, rottweiller », « Qui boit du vin russe, chiroubles », « Qui boit du café asiatique, chicorée », « Qui mange du riz, chinois », « Qui mange une pelote, chistera »... Vous pouvez y aller, il y en a plein. On en a trouvé une cinquantaine. Je vous épargne les plus vaseuses, qu'il faut prononcer avec des accents pas possibles pour les comprendre. Non, non, on n'est pas débiles, on est juste restés très enfants. On aime jouer et, d'ailleurs, on dit bien jouer la comédie, ce n'est que du jeu, pas de quoi se prendre au sérieux. Trop contents déjà d'en vivre aisément.

Un qui était très joueur, et avec qui j'ai eu la chance de tourner un de mes premiers films, en 1984, c'était Bernard Blier.

Il n'arrêtait pas de nous apprendre des jeux auxquels nous jouions entre les prises. En fait, on passait notre journée à jouer. On mettait sur pause au moment de tourner et dès le « Coupez ! » du metteur en scène, c'était reparti à l'endroit où nous avions été interrompus. En voilà un qui ne se prenait pas la tête. Quelle leçon !

Je vais me taire un peu parce que ça grimpe. C'est vraiment magnifique, mais ça grimpe. Il n'y a pas quinze minutes que nous marchons et je suis déjà en eau.

Frédérique parle de marche tonique, c'est le moins qu'on puisse dire et, pour pimenter un peu, elle nous montre quelques petits exercices qui tonifient les muscles des jambes.

Ces exercices sont d'ordinaire pratiqués en salle, et j'ai vite fait de comprendre pourquoi en regardant mes camarades les exécuter.

Vous êtes bien sûr qu'il n'y a pas de photographe dans le coin ? Parce que, si le ridicule ne tue pas, ça peut quand même vous flinguer une carrière.

Nous voilà transformées en crapauds marchant jambes fléchies, à reculons et genoux joints.

Puis nous faisons des petits bonds (ça doit être pour la parade nuptiale), ensuite nous avançons à croupetons, mais de face.

— Je ne doute pas que ce soit efficace, Frédérique, mais est-on obligé d'en passer par là pour mincir et se raffermir, ou existe-t-il quelque chose qui puisse se pratiquer en société ?

— Oui, dit-elle, mais comme je vous voyais en forme je me disais que nous pourrions en profiter.

Elle est mignonne !

— Bien sûr que nous sommes en forme ! Mais si vous aviez des mouvements qui nous fassent plutôt ressembler à un cygne, je suis certaine que nous les exécuterions plus volontiers. Vous parliez de marche tonique, qu'est-ce que vous entendez par là ?

— Il faut marcher à un bon rythme, en pensant à bien serrer les fesses, bien pousser sur les jambes, pendant que vous déroulez le pied et que vous respirez à fond.

— C'est tout ? Et avec les oreilles qu'est-ce qu'on peut faire ? Faut avoir bac plus quatre pour marcher ?

— Non ! Ça a l'air fastidieux comme ça quand on en parle, mais il s'agit juste de marcher en serrant ses abdos et en poussant bien sur ses jambes, tout en...

— C'est bon, j'ai compris. J'ai fait pas mal de danse, vous savez. C'est juste pour mes copains et mes copines qui font le régime avec moi. J'ai l'air d'être seule comme ça, mais je suis très nombreuse.

À la façon dont elle me regarde, je ne serais pas étonnée qu'elle me prenne pour une folle.

Ah ! On s'arrête de monter. C'est que ça a l'air de rien, mais je n'ai pas marché depuis si longtemps que je suis totalement crevée, sur les rotules.

Mais on n'a rien sans rien, un petit coup d'eau et on continue.

Comme l'a si bien dit le médecin pour répondre à ma question sur la fatigue qui me tient depuis quelque temps : « Vous portez tous les jours l'équivalent de douze bouteilles d'eau minérale. »

C'est vrai que, dit comme ça, on prend tout de suite la mesure de la catastrophe.

En revanche, cela veut dire aussi que chaque kilo perdu nous redonnera du tonus et du dynamisme.

D'ici, la vue est extraordinaire. Nous arrivons à la croisée de deux chemins. L'un monte tout raide et l'autre redescend légèrement vers un petit sentier ombragé.

Frédérique s'excuse.

— Nous ne monterons pas tout là-haut, car la balade excéderait le temps prévu.

— Oh ! Comme c'est bête, je tente, faux cul, trop contente qu'on s'arrête là.

Sur la descente, beaucoup plus aisée, nous devisons avec mes deux charmantes compagnes et apprenons à nous connaître. Ces deux sœurs, toutes les deux mariées et mères de famille, se révèlent très différentes, ce qui est fréquent dans le même nid.

Moi j'ai trois frères, chacun de nous a sa personnalité, mais nous sommes assez complémentaires, comme si celui qui arrivait occupait l'espace libre qu'avaient laissé les autres. Olivier, mon frère aîné, c'était l'introversion, moi l'extraversion, Nicolas le fonceur, la vivacité, et Frédéric l'humour et le flegme.

Les deux sœurs habitent en province. La province, je connais bien, j'en viens et j'y retourne souvent. Ma mère habite Strasbourg.

Elles me racontent leurs enfants et là, entre mères, plus de barrières, c'est comme si on s'était toujours connues. Nous sommes sur un terrain privilégié et nous voilà intarissables.

Moi je peux parler de mon fils pendant des heures, à en devenir barbante. Mais c'est un tel mélange de bonheur et d'angoisse, une maternité ! On se sent tellement démunie face à l'être qu'on aime le plus au monde. On a besoin d'échanger des idées et des points de vue. Ne serait-ce que pour se convaincre que c'est bien normal, le genre de réaction ou le genre d'attitude qu'il a ces derniers temps.

On se trouve réconfortée de savoir qu'ils sont tous pareils, on s'accroche aux généralités pour se tranquilliser.

Entre nous, on se comprend, et cela nous réunit.

Nous sommes déjà arrivées ! Je n'ai plus de jambes, mais je n'ai pas vu le temps passer.

Les deux sœurs n'iront pas à la deuxième balade, et moi non plus je pense. Une bonne sieste ne me fera pas de mal.

Mais nous prenons déjà date pour les jours à venir. Nous n'avons pas les mêmes horaires, car elles ne sont pas au même Spa que moi. J'apprends qu'il y a plusieurs formes de cure, selon qu'on est pris en charge par la Sécu ou non. Elles ont pris une formule Sécu améliorée, ce qui fait qu'elles ne paient qu'une partie des soins et ont loué des petits studios à un prix très raisonnable.

Pour les repas, elles vont chez un traiteur qui fait des plats diététiques à emporter tout à fait délicieux.

Vous voyez, même avec peu de moyens, il est possible de se prendre trois semaines de détente.

Au retour, la réceptionniste me transmet une invitation à un petit cocktail-conférence le surlendemain.

— C'est gentil, mais j'aurai juste terminé mes trois jours de protéines et je ne sais pas si c'est bien raisonnable d'y assister.

— Si, si, justement, venez, car il n'y aura que des aliments possibles dans le cadre de votre cure et, à cette occasion, la diététicienne vous donnera les préceptes à suivre en cas d'invitation.

Yes ! Très instructif ! Si vous insistez, je viendrai avec plaisir.

Tiens, ce soir j'ai nettement moins faim et je n'ai pas pensé à manger de l'après-midi. Ce doit être l'effet protéines qui se manifeste. J'en suis ravie, mais je vois aussi la fin de ces trois jours avec enchantement.

– VII –

ON RAJOUTE LES FRUITS ET LÉGUMES !

Je ne les ai jamais boudés, mais à partir d'aujourd'hui je vais les adorer. Plus qu'une journée et ils seront là !

Et si on en finissait maintenant ?

On fait avancer le temps en accéléré. BZZZZZZ (ce bruit, c'est la bande qui avance), et on se réveille directement au quatrième jour. Phase 2. Youpi !

On continue toujours à se bouger. Un, deux, inspirez ! Expirez ! Marchez, éliminez... Je ne vous refais pas le topo, si vous ne vous y mettez pas, moi je ne peux rien pour vous.

Je mets ma musique de Vishnu la paix, comme disaient nos regrettés Pierre Dac et Francis Blanche. Juste le temps de faire mon yoga avant que le petit déjeuner n'arrive. Ça y est, le voilà... On frappe... Non, c'est la chambre à côté...

Et... Et... Oui, ça y est, c'est pour moi !

Qu'elles sont belles les deux petites tartines de pain grillé au milieu de l'assiette !

Oh ! Et cette petite plaquette de beurre, n'est-elle pas chou ?

Je vais les beurrer avec mon tout petit couteau et je mangerai mon tout petit yaourt avec ma toute petite cuillère. C'est quoi, ce délire ? Quand je disais quarante grammes, je ne m'attendais pas à ce que ce soit si peu.

Mais on va s'y faire, ne vous inquiétez pas. C'est mieux qu'hier et moins bien que demain, c'est ça qu'il faut se dire. Allez ! On se projette dans l'avenir, on fait un effort et on se voit dans quelques mois à la piscine ou sur la plage... Si, si, vous allez y arriver ! Faites un effort ! C'est pas maintenant qu'il faut craquer, on a fait le plus dur.

Positivons à mort.

Et, afin que vous puissiez faire vos courses en vue du repas de midi (pour ceux qui n'ont pas regardé de bouquins de cuisine diététique), voici quelques petites idées.

À midi, pour accompagner votre blanc de poulet, que vous pouvez continuer à préparer comme indiqué plus haut, pourquoi ne pas préparer un flan d'épinards ?

FLAN D'ÉPINARDS

Pour 3 personnes :
Vous faites cuire 500 g d'épinards frais ou surgelés. Vous les égouttez bien.

Vous battez 3 œufs avec 40 cl de crème fraîche à 10 % de matières grasses et vous les mélangez aux épinards. Vous salez, poivrez et ajoutez un peu de noix de muscade, par exemple.

Vous versez dans des ramequins individuels et faites cuire au bain-marie 20 à 30 minutes.

C'est très bon et vous pouvez faire la même chose avec d'autres légumes râpés très fin.

Vous pouvez aussi faire cuire vos légumes à la vapeur et y ajouter un peu d'huile d'olive, mais pas plus d'une cuillerée à café par personne et par repas.

Ou alors, faire vous-mêmes votre coulis de tomates.

COULIS DE TOMATES

Vous épluchez 6 belles tomates en les ébouillantant avant, ça facilite la manœuvre. Dans une casserole, vous faites bouillir dans un peu d'eau 1 oignon et 1 ou 2 gousses d'ail finement hachés. Quand c'est bien réduit, vous ajoutez 1 cuillerée à soupe d'huile d'olive. (Ce qui veut dire en passant que vous n'allez pas vous goinfrer de toute la sauce parce que vous n'avez droit qu'à une cuillerée à café... Vous suivez ?) Puis vous ajoutez les tomates, un peu de sel, du poivre et du basilic ou ce que vous aimez. Vous laissez bien cuire et vous passez à la moulinette. Si vous aimez que ce soit moins acide, ajoutez un tout petit peu de sucre édulcorant pour ôter l'acidité de la tomate.

Vous pouvez aussi vous concocter une belle ratatouille légère.

Vous savez faire la ratatouille ? C'est sublime mais c'est très gras si on la prépare à l'ancienne, car il faut faire revenir tous les légumes dans l'huile d'olive, les égoutter, puis les jeter dans un coulis de tomates maison, avec des oignons, de l'ail, des tomates et de l'huile, et les laisser cuire pendant des heures. C'est du confit de légumes. C'est magnifiquement bon, mais pas conseillé.

Nous, pour l'instant, on essaie de cuisiner avec le minimum de gras. Une fois qu'on a compris le système, on peut se lancer dans la création et adapter toutes nos recettes.

RATATOUILLE LÉGÈRE

Il suffit de se contenter de la cuillerée à soupe d'huile d'olive autorisée (pour quatre personnes), dans laquelle on fera revenir l'ail, les oignons et les poivrons.
On précuit à la vapeur ou à l'eau bouillante les courgettes et les aubergines. On les ajoute aux poivrons et on laisse cuire pour que cela devienne comme une compote. Ensuite, vous ajoutez les tomates épluchées et concassées, et du concentré de tomates. Vous laissez réduire et vous servez.
Vous pouvez mettre un bouquet garni, ça donne encore plus de goût.

Quant au dessert, il n'est pas question de s'en passer, car il est recommandé de terminer par une petite note sucrée mais une note hein, pas la *Symphonie fantastique* !

N'oubliez pas que, pendant une quinzaine de jours maximum, nous sommes à 1 000 Calories. Donc, pas de féculents à part les tartines du matin, pas de fromage et pas d'alcool.

Voilà ce que ça donne en détail, je l'ai déjà dit mais je vous le rappelle.

LE MATIN

Vous savez.

À MIDI

- 1 part de crudités avec 5 g d'huile.
- 100 g de viande ou 120 g de poisson.
- 200 g de légumes verts.
- 1 yaourt 0 % et 1 fruit.

LE SOIR

- 100 g de viande ou de poissons.
- 200 g de légumes verts.
- 1 yaourt 0 % et 1 fruit.

Ça, c'est le menu basique, mais rien ne vous empêche de vous concocter un dessert bien ciblé et agréable. Une petite salade de fruits ou une petite compote, ou cent grammes de fromage blanc 0 % que l'on peut mélanger à ses fruits ou à sa compote, ça compte pareil. Vous pouvez aussi craquer pour un petit sorbet maison ou du commerce. Il y a maintenant des marques de surgelés qui font des sorbets hypoglucidiques super bons. Et une boule équivaut à peu près à 50 ou 60 Calories, pas de quoi s'en priver.

Je ne sais pas combien de fois j'ai employé le mot « petit », mais il va falloir s'y habituer et voir tout en petit, jusqu'à ce que notre appétit devienne plus petit et que « petit » devienne notre normalité. Je me fais bien comprendre ? J'ai par moments l'impression que plus je pédale moins fort et moins j'avance plus vite. Je sais, ce n'est pas facile... mais pour moi non plus.

J'enfonce un peu le clou, certes, mais c'est indispensable.

Bien se mettre dans la tête qu'il faut prendre de nouvelles habitudes.

Après, quand elles seront prises, tout deviendra plus agréable.

— Waou ! Alors là, Véro, je ne te reconnais plus. On dirait moi, dit Angelot. Il est parti en vacances, Diablotin ?

– Non, mais tu vois, quand on a charge d'âmes, on se doit de donner l'exemple. Et moi qui suis orgueilleuse (Oh, le pas si vilain défaut que ça !), je leur ai dit que j'allais y arriver alors je me dois de le faire. Sinon je vais être ridicule.

– C'est pas un peu le principe des Weight Watchers, l'orgueil et la honte ? remarque Angelot.

Il a raison ! Vous avez un objectif et, le jour de la pesée, s'il n'est pas atteint ou si vous avez pris du poids, la foule vous conspue. C'est vrai que je me mets un peu dans cette situation, alors qu'en public je n'aurais pas aimé. Faut être américain pour inventer des trucs pareils.

Soyons plus tendres. Aimons-nous, entraidons-nous et, si l'un de nous craque, disons-lui que ce n'est pas grave et qu'il fera mieux la prochaine fois. Après tout, la punition est déjà assez grande.

C'est aussi un truc que m'a dit le médecin : « Arrêtez de vous punir. »

Ce n'est pas parce que tu craques un soir que tout est perdu.

Moi, c'est ce que j'ai pensé longtemps, si bien que dès que je craquais, je me punissais en entrant dans une phase boulimique, persuadée que j'avais tout foutu en l'air. Je suis bien décidée à changer ça aussi. Ces quinze jours vont transformer ma vie. Je le sens, je vibre d'un nouveau désir de réussite. Mon esprit se libère. Je m'envole, j'en deviendrais poète.

– Ah ! Voilà, t'es revenue, s'exclame Angelot. Tu m'as fait peur. J'ai cru que tu allais virer sainte.

C'est pas parce que je me sens concernée que je vais devenir sinistre, ne t'inquiète pas.

Pour revenir à nos menus, vous allez voir qu'en répartissant bien nos aliments, on arrivera à prendre une petite entrée genre un carpaccio de saumon, de fines tranches de saumons marinées dans le citron avec un petit peu d'huile d'olive, de l'aneth et des baies roses.

Et en plat, deux œufs en omelette aux fines herbes accompagnés d'une salade verte bien « zonée » de notre petite vinaigrette.

VINAIGRETTE ALLÉGÉE

Pour 2 personnes.
- 1 cuillerée à café de moutarde
- 2 cuillerées à café d'huile d'olive
- 4 cuillerées à café de vinaigre balsamique
- 1 cuillerée à soupe d'eau

Et on peut ajouter les herbes qu'on préfère et un peu d'ail ou d'oignon, selon son goût.

Elle est absolument délicieuse, et tous ceux qui la goûtent l'adoptent sur-le-champ, même quand ils ne cherchent pas à perdre du poids.

On terminera par une compote de fruits.

Le menu que je viens de vous donner, c'est celui que

nous allons manger à midi. Je le sais parce que tous les jours, à la fin du repas, ils apportent la carte du repas suivant, et on peut choisir entre deux entrées, deux plats – viande ou poisson – et en dessert, du fromage blanc ou une compote.

Le repas que je viens de vous décrire fait un peu moins de 400 Calories et est facile à préparer.

Demain je vais à une conférence avec la diététicienne et je vous prendrai la liste des menus de la semaine, comme ça vous n'aurez pas trop à réfléchir et vous pourrez tout préparer à l'avance. Je suis cool avec vous, quand même !

Ça m'a ouvert l'appétit de parler nourriture. Je suis une des premières au restaurant et je choisis une belle table face à une grande fenêtre. Je serai bien, là, pour rêver et me détendre.

Car, c'est dans tous les manuels, il ne faut pas passer à table stressé.

Le repas doit être un moment de calme.

Il paraît même qu'il vaut mieux ne pas discuter et ne pas rire. Alors là, j'ai tout faux parce que pour moi, la table, c'est le moment d'échange par excellence. Remarquez, si manger devient ennuyeux, peut-être que nous mangerons moins.

Je dis ça, mais je serais bien incapable de passer un

repas sans rien dire. Il ne faut pas charrier, quand même. Moi je veux bien faire tous les efforts de la Terre, mais je veux continuer à rire.

Pour le calme, je veux bien essayer mais ce n'est pas toujours possible. Nous, sur les tournages nous mangeons à la cantine sous une tente qu'on appelle le Barnum.

Souvent, en hiver, nous nous levons très tôt car nous devons profiter du jour et, comme il pointe son nez vers 8 h 30 et se barre avant 17 heures, nous devons nous mettre à son diapason.

Je déteste ça, je vous le dis tout de suite.

Pas parce que je ne supporte pas de me lever tôt, puisque avec mon fils, comme pratiquement toutes les mamans du monde, je suis levée la première pour préparer le petit déjeuner, mais parce que je n'arrive pas à articuler le matin. J'ai l'impression d'avoir de la moquette à la place de la langue.

Donc pour être P.A.T., comme on dit dans notre jargon et qui veut dire « prêts à tourner », à 8 h 30, nous devons être au H.M.C. (habillage, maquillage, coiffure) à 7 h 30. Une heure pour se faire coiffer, maquiller et s'habiller, c'est un minimum, mais on y arrive très bien, surtout quand, comme moi, on opte pour les cheveux courts.

— Ah ! Petite coquine, c'est pour ça que tu les as coupés ! raille Angelot.

Pour ça et surtout parce que je me préfère comme ça. C'est plus dynamique.

Pour en revenir à ce que je voulais vous dire au sujet des repas, c'est que, en gros, avec le temps de transport, je pars de chez moi vers 7 heures, ce qui implique que je me lève à 6 heures.

Non, je ne cherche pas à vous faire pleurer ni à me faire plaindre, je sais très bien que nous sommes nombreux dans ce cas, mais quand on prend son petit déjeuner vers 6 h 30 et qu'on ne déjeune dans le froid qu'à 13 heures, voir 14 heures, because la séquence n'est pas terminée, ce n'est bon ni pour le régime ni pour la santé.

Quoique... À choisir, je préfère encore manger dans le froid que dans les odeurs de la soufflerie au gaz Butane qu'ils nous imposent.

Je ne cherche pas d'excuse au fait qu'à chaque tournage je prenne entre deux et quatre kilos, mais quand même, on n'est pas aidés !

En plus, il y a un truc qui s'appelle la table régie et, si vous êtes gourmands comme moi, ce qui ne m'étonnerait pas, vous comprendrez ma souffrance. C'est une grande table qui nous suit en permanence et sur laquelle trônent toute la journée, outre la machine à café, des gâteaux, du saucisson, du fromage, du pain, et parfois des fruits.

Je vous jure que c'est hyper dur de résister.

De plus, suivant les horaires que nous pratiquons selon qu'on a besoin de nuit ou pas, nous faisons des journées continues. Nous pouvons par exemple tourner

117

de 12 heures à 19 h 30 sans coupure. Dans ce cas, on déjeune à 11 heures du matin et, vers 17 heures, bien évidemment, le petit creux se fait sentir.

Arrive à ce moment le casse-croûte tant attendu.

Là, c'est pire que tout, car une montagne de victuailles du genre liste rouge atterrit sur la table et c'est la curée. Vous pouvez vous dire « Je n'y vais pas, je ne m'approche pas, comme ça je ne serai pas tenté », peine perdue, car une fois qu'ils ont préparé leur sandwich, ils viennent le manger sous votre nez !

Ben oui ! On ne peut pas leur en vouloir, le travail continue.

Et ça croustille ! Ça sent bon ! Les effluves parviennent jusqu'à vos narines et, tels ceux d'un somnambule, vos pieds se dirigent vers l'endroit fatidique.

— Aux pieds, les pieds ! Couchés ! Je ne vous ai pas demandé d'aller là-bas.

— Si, ton subconscient nous en a donné l'ordre... Il nous a même donné l'itinéraire, tu veux voir ?

— Non, non, je vous crois...

Et, pleine de culpabilité, j'ingurgite l'objet du délit à une vitesse record, comme si le fait de le manger vite l'annulait.

Moi, j'ai mangé un sandwich ? Vous êtes sûr ?
Ridicule !

Comme horaire, il y a aussi les mixtes : moitié jour, moitié nuit. Et là, alors, c'est simple : on n'arrête pas de manger.

On commence vers 14 heures, où, sur la fameuse table régie, s'empilent les pizzas et autre mets hautement amaigrissants car, comme vous l'avez compris, on est tous partis de chez nous à 12 heures ou 12 h 30, donc sans déjeuner.

Et nous dînons vers 18 h 30, puisque la nuit tombe tôt et que nous avons de grosses scènes à terminer avant 23 heures.

On se retrouve pour déguster sous notre Barnum chéri des plats composés par notre cuistot chéri, qui a une idée bien à lui de la diététique et qui nous a préparé en entrée une quiche lorraine bien grasse avec de l'huile à la salade, suivie d'une belle escalope panée accompagnée de magnifiques pâtes au beurre. Et, pour finir, un bon gâteau au chocolat, qui lui est optionnel, puisque nous pouvons le remplacer par un fruit ou un yaourt. Ouf ! J'ai cru que j'allais grossir !

Moi je lui donne 20/20. Il a tout compris.

OK, je ne suis pas toute seule et nous avons quelques travailleurs de force sur nos plateaux. Faut pas croire, mais les électros, les machinos, les assistants caméra et j'en passe ne font que porter, courir, grimper, et ils ont besoin de manger du solide. Moi, tout ce que je demande, c'est un juste milieu et la possibilité de manger des légumes.

Et je le dis et je le répète, mon cher cuistot, les pomme de terre ne sont pas des légumes mais des féculents.

Ah ! C'est dit, ça va mieux. Et la prochaine fois j'amènerai une gamelle préparée par Dali. Non, pas le peintre, mais la dame formidable qui s'occupe de mon fils et de nos petits plats. Et elle ne nous cuisine pas des montres molles, elle.

Là, devant ma fenêtre, les doigts de pieds en éventail en train de déguster mon saumon mariné, je m'ennuie ferme. Je n'aime décidément pas manger seule. Heureusement que vous êtes là.

Il fait très beau et je me suis renseignée sur les promenades à faire dans les environs.

On m'a parlé du parc de la Vanoise à une demi-heure d'ici en voiture. Il paraît que c'est superbe et qu'on peut voir des bouquetins et des marmottes.

Dans trois jours, c'est dimanche : quartier libre, pas de Spa. Je vais prendre un taxi et me faire déposer là-bas. Peut-être que Véronique et Isabelle m'accompagneront. C'est plus sympa à plusieurs, et elles sont très agréables.

C'est dingue, mais je suis là depuis quatre jours et j'ai l'impression d'avoir décollé. Pas vous ?

J'ai une furieuse envie de monter sur la balance, mais j'ai promis de ne pas le faire avant la fin de mon séjour. Il faut que je tienne.

Le médecin m'a dit que je risquerais d'être déçue car les premiers jours on perd pas mal en volume, mais pas forcément en poids.

N'empêche que mon pantalon commence à moins me serrer.

– Vous croyez que c'est la matière qui se relâche ? Non, pas le strech quand même ?

– Ah ! Vous savez, ma brave dame, de nos jours, la qualité des tissus n'est plus ce qu'elle était !

De quels tissus parlez-vous ? Parce que mes tissus à moi sont de plus en plus fermes. C'est certainement dû à l'eau que je bois en grande quantité et à tous les massages. Ce qui est sûr, c'est que ma peau se raffermit à vue d'œil et que le dernier massage de Christophe était nettement moins douloureux.

C'est encourageant ! Vous avez essayé les massages « perso » dont je vous ai parlé ?

Non ? Qu'est-ce que vous attendez ? Parce que moi, en plus du reste, je m'y suis mise.

Certes, on ne fait pas la course, mais faut y aller maintenant, faut se prendre en main. Les derniers qui hésitent encore à faire le premier pas, en se disant que ça va être trop dur, que c'est de la torture, qu'ils n'y arriveront jamais, je suis là pour leur prouver le contraire. Moi, ça fait quatre ans que j'étais en perdition, que je ne savais plus quoi faire, que je ne croyais plus à rien, que j'avais baissé les bras. Et aujourd'hui, après trois jours, je suis remontée à bloc, j'y crois, la petite lumière au bout du tunnel grandit, je me rapproche de la sortie. Bougez-vous, que diable !

Ce soir si vous êtes sages, je vous emmène au cocktail.

J'ai hâte de savoir comment gérer les invitations de ce genre.

Il est préférable d'avoir mangé un peu avant d'aller dîner chez des amis.

Une petite collation rassasiante et qui ne stimule pas l'appétit, genre un œuf dur ou cent grammes de fromage blanc 0 % ou une tranche de pain complet ou une tranche de jambon blanc.

Comme ça, si l'apéritif s'éternise, nous aurons moins tendance à craquer.

J'espère qu'elle a d'autres tuyaux à nous donner, parce que moi, c'est pas une tranche de jambon qui va m'arrêter.

Mais bon, peut-être aussi que j'ai changé. Je verrai bien quand je serai devant. Je pense que ce soir il n'y aura que des aliments possibles.

Hein ? Rassurez-moi. Ils vont quand même pas pousser le vice jusqu'à exposer devant nos bouches salivantes tous les aliments qui nous sont déconseillés ? Ce ne serait pas gentil. Parce que j'ai laissé mes entraves à la maison, moi !

J'ai bien déjeuné.

C'est vrai, après ces trois jours sans voir de vert dans mon assiette, la salade m'est apparue d'une beauté et d'une saveur... Oh ! Ces petites feuilles tendres qui craquent sous la dent ! N'était-ce pas merveilleux ?

Ah, ma petite diététicienne m'apporte le menu pour ce soir.

Alors, que nous propose-t-on de bon ?

— Une soupe de légumes. Ça, c'est très simple, même pas la peine de regarder une recette. On fait cuire les légumes, on les mixe, un peu d'épices, et le tour est joué. On m'a même dit que, pour lui donner du goût, on pouvait ajouter un peu de sauce soja.

— Une escalope de veau poêlée, de cent grammes bien entendu, et des haricots verts à l'anglaise.

Un petit tour en cuisine s'impose. C'est quoi les haricots verts à l'anglaise ?

Je me méfie de la cuisine anglaise depuis un certain retour d'Irlande, il y a une flopée d'années...

Je devais avoir dix-huit ans. J'étais partie sur un coup de tête sillonner les routes de ce beau pays avec un groupe de folk irlandais rencontré au palais des Arts, théâtre où je vendais des programmes.

Leur tournée nous emmenait de pub en pub, dans des paysages plus éblouissants les uns que les autres. Leur musique entraînante nous plongeait dans des fêtes et dans des danses incessantes, mais en tant que Française, la bonne nourriture commençait à me manquer. Je n'avais pas vu un steak ni un bout de fromage dignes de ce nom depuis six mois, et les odeurs de Guinness commençaient à peser sur mes sens olfactifs. *Black is beautiful,* pub vantant les mérites de cette boisson entre bière et Picon, était affichée à tous les coins de rue et ne faisait qu'augmenter ma nausée.

J'avais le mal du pays, et je me décidai à rentrer chez les épicuriens, bleu comme le vrai steak, blanc comme nos vendanges tardives et rouge comme nos moulin-à-vent.

Profitant d'un départ du manager vers son Angleterre natale, je me glisse dans ses bagages et me voici chez ses parents pour la nuit.

Sa mère doit être une femme bien, vu qu'elle déballe sous mes yeux émerveillés un magnifique gigot d'agneau pour le repas dominical. Quel sens de l'hospitalité !

Mes papilles gustatives s'activent, salivent, je suis tout à mon futur bonheur et je n'ai pas assez de mots, surtout en anglais, culinaires de surcroît, pour lui exprimer ma reconnaissance, voire mon amour pour ce choix.

D'ailleurs y a-t-il un vocabulaire culinaire en anglais ? J'arrive quand même à lui faire comprendre que ce que je préfère dans le gigot, c'est la peau bien grillée, le cœur bien rosé et, par-dessus tout, la souris. Je mets sur le compte de la difficulté à communiquer l'air étonné et un peu stupide qu'elle affiche, mais je déchante quand je la vois sortir du placard une poudre verdâtre, qu'elle mélange avec de l'eau et je ne sais quel condiment, et dont elle badigeonne ce pauvre cuissot qui ne lui a rien fait. C'est une sauce à la menthe, explique-t-elle avec délectation. Je souris, mais j'ai juste envie de la tuer.

Donc vous comprendrez que je me renseigne.

Je suis vite rassurée par notre gentil cuisinier.

Quand on dit « à l'anglaise », c'est qu'une fois le légume cuit à la vapeur, on verse dessus du jus de citron et un peu de beurre fondu.

— Du beurre, vous mettez du beurre ! Et on vous laisse faire ?

— Bien sûr ! Mais pas la motte. Dix grammes par personne, pas plus.

— Moi, je ne suis pas fan de citron, je ne peux pas avoir autre chose ?

— Si, je peux vous les faire sautés au basilic.

— C'est comment ?

— Très simple aussi. Une fois les légumes cuits à la vapeur, on fait revenir les haricots dans une cuillerée à café d'huile d'olive bien chaude. Puis on ajoute du basilic finement ciselé. Et on peut faire la même chose avec d'autres légumes.

— Et il y a combien de Calories là-dedans ?

— Pour deux cent cinquante grammes de haricots verts, il y a environ 115 Calories. Finalement moins que dans les haricots verts à l'anglaise, qui font 140 Calories.

C'est tout bénef pour moi. Alors vendu ! Ce soir, ce sera haricots au basilic.

Juste le temps d'aller boire un petit café en terrasse sous le doux soleil printanier avant d'enfiler ma tenue de combat.

Car de nouveau balade ! Mais cette fois se sera le long du torrent qui traverse le bourg. Flanquée de mes deux nouvelles copines, je crapahute sur un chemin escarpé qui descend jusqu'au torrent et le longe jusqu'à Salins. Aujourd'hui, c'est Marc notre professeur. Un jeune homme sympathique avec de très grandes jambes qui fait un pas quand nous en faisons trois. Va falloir le calmer, car il est parti bille en tête.

Et si on lui faisait une blague ? Nous nous concertons, Isabelle, Véronique et moi, et, discrètement, nous nous arrêtons derrière un arbre sans rien dire et le laissons continuer à nous parler des bienfaits de la descente sur nos fessiers. Il met quelques bons mètres avant de s'en apercevoir.

Heureusement, il a de l'humour et en plus le message est passé, nous marcherons devant lui et à notre rythme.

Je vais pouvoir rêvasser car le chemin de plus en plus étroit laisse peu de place à la conversation.

Il me fait penser au chemin des chèvres que nous empruntions, mon frère et moi, pour descendre à la rivière lors de nos vacances ardéchoises.

Nous sautions de pierre en pierre tels de jeunes cabris, regardant bien où nous posions les pieds, de peur de déranger la vipère en train d'y faire sa sieste. Puis nous arrivions essoufflés et affamés chez ma grand-mère, qui nous ouvrait un grand pot de crème de marrons. Vous savez, ces boîtes de conserve avec le petit bonhomme en marron plein de piquants... Nous plongions directement dans le pot, malgré les recommandations de Mamy :

— Attention, c'est lourd, vous allez être malades !

Avec application, sans ralentir le rythme pour ne pas laisser l'avantage à l'autre, poussant de grands soupirs d'aise, nous creusions dans la douce pâte molle jusqu'au tintement final de nos cuillères sur le métal.

Je peux vous en parler aujourd'hui. Mais le jour où la prophétie de mon aïeule se réalisa, je fus si mal et si longtemps que le seul mot de crème de marr... beurk, beurk, beurk ! me replongeait dans la souffrance.

Pourquoi la plupart de mes souvenirs sont-ils liés à la nourriture ? Vous avez remarqué, non ? C'est dingue !

Je pars sur un petit sentier tranquillement, je vois un marronnier et vlan, la crème de marrons m'arrive en pleine poire. Voyez ! J'aurais pu dire figure, et bien non, poire ! Je vois une chèvre, je pense crottin ou pélardon. Hein ! Vous dites ? Non ! Si je regarde un bœuf, je ne pense pas à un steak, je ne suis pas sauvage à ce point.

Mais quand même, c'est fou !

Mêmes certains jeux que nous inventons sur les tournages de *Julie Lescaut* tournent autour de ce sujet. Le dernier en date ? C'était l'horoscope culinaire. À la manière de l'horoscope où nous avons un signe et un ascendant, nous essayions de nous définir par un plat ou une spécialité de la région d'origine de nos parents.

Pour moi qui suis auvergnate du côté maternel et ardéchoise du côté paternel, ça donnait par exemple : potée, crème de marrons. Ou bien, si on préfère le fromage : pélardon, aligot.

Ma maquilleuse Dominique, mi-martiniquaise mi-bretonne, devenait « boudin créole, crêpe ». Essayez, ça donne des trucs assez sympas, en tout cas, nous, ça nous amusait beaucoup, mais encore une fois nous parlions bouffe.

C'est assez propre à la culture française.

Avez-vous remarqué que chaque fois que nous sommes à table nous parlons nourriture ? Et qui n'a pas entendu sa mère demander « Qu'est-ce que vous voulez manger ce soir ? » alors même que vous n'aviez pas fini d'avaler la dernière bouchée de votre dessert ?

Et vous-mêmes, ne le faites-vous pas ?

On peut le comprendre ! Il est très difficile d'être la seule à réfléchir à ça, alors que nous avons l'estomac plein et envie de rien. On voudrait bien y échapper, mais c'est sans compter le rythme du quotidien, qui nous ramène sans cesse à cette préoccupation. Autant l'accepter, notre vie tourne autour de ça, et malgré l'adage : « Il faut manger pour vivre et non vivre pour manger », faire à manger est notre vie.

Avez-vous estimé le temps que vous passez pour un repas à faire les courses, préparer à manger, mettre la table, débarrasser, ranger la cuisine... Allez-y, comptez ! Même en faisant des trucs hyper simples, en étant super organisé, une bonne partie de notre journée est consacrée à la table.

Quoi qu'il arrive, on est en permanence renvoyé face à ses démons. Il y a de quoi craquer sur le grignotage avec toutes ces tentations !

C'est pour ça que l'idéal pour commencer un régime serait l'éloignement. Moi je dois vous dire que ça me fait un bien fou. Mais j'imagine que tout le monde n'a pas le temps ou les moyens, bien que, comme je vous l'ai dit, dans tous les centres il y ait des prises en charge.

Pensez-y, tous ceux qui n'arrivent pas à démarrer. Et

si vous ne pouvez pas vous mettre au vert, tentez l'éloignement de la cuisine pendant une quinzaine de jours, le temps que le démarrage soit effectif et que, le moral revenu, vous soyez forts d'une nouvelle volonté.

Mettons nos hommes aux fourneaux, par exemple.

Souvent, ils se révèlent être des cuisiniers géniaux. Le mien, quand ça lui prend, nous concocte des petits plats formidables. Pas toujours diététiques, mais si je lui donne de bonnes recettes et qu'il a envie de m'aider, peut-être s'y mettra-t-il...

Je sais, messieurs, vous aussi vous pouvez avoir des problèmes de poids. Seulement, sauf si vous vivez seuls, avouez que c'est plus souvent madame qui s'y colle.

Et puis les hommes et les femmes ne sont pas égaux devant la prise et la perte de poids, puisque nous n'avons pas le même métabolisme de base. Le vôtre est souvent beaucoup plus élevé, quel bol ! Et pour pas mal d'entre vous il suffit de supprimer les excès de gras, d'alcool et de sucre, et de vous bouger un peu pour retrouver rapidement la ligne. Je me rappelle la fois où Meyer et moi avions commencé un régime à base de protéines en poudre. Je suivais comme une bonne élève les recommandations du médecin, j'avais fait beaucoup plus attention que lui, qui ne s'était pas contenté des sachets et avait mangé des œufs et de la viande. Résultat des courses, outre le fait que mon fils ne cessait de me répéter que mes soupes sentaient mauvais, quand nous nous sommes pesés, Meyer avait perdu deux kilos de plus que moi. J'étais écœurée.

D'ailleurs, à ce sujet, il serait bon que vous connaissiez votre métabolisme de base pour adapter vos besoins à votre situation. Pour ça, il y a des tableaux de calcul qui se font suivant des paramètres comme le poids, la taille, l'activité, l'âge. On peut les trouver partout, même sur Internet.

Maintenant si on n'a pas la possibilité de faire cuisiner quelqu'un d'autre, éloignons de nous tout ce qui nous est interdit pendant cette période.

Mettons toute la maisonnée au vert. Ça ne peut lui faire que du bien.

Et si pendant que nous cuisinons nous avons une légère fringale et que nous ne pouvons vraiment pas résister, préparons-nous une carotte coupée en petits morceaux ou bien croquons la pomme que nous ne prendrons pas au dessert.

— Pour ce qui est des fringales, m'a dit la diététicienne, il vaut mieux ne pas y céder.

J'aurais dû m'en douter. Encore une fois, c'est facile à dire, mais qu'est-ce qu'on peut faire ?

— Si elles arrivent, c'est souvent parce que vous n'avez pas assez mangé au repas précédent ou que vous êtes en situation de stress, de tristesse, de fatigue ou d'ennui.

Faut croire que je suis tout le temps dans ce genre de situation, alors.

Quand je fumais, mon premier réflexe était d'allumer une clope. Ces deniers mois, je l'avais remplacé par celui d'ouvrir le frigo.

Mauvaise idée ! La porte du frigo ne peut en aucun cas faire office de poids et haltères. Qu'on se le dise : nous ne compterons pas cette dépense d'énergie dans l'activité que nous devons pratiquer tous les jours.

Je le dis autant pour vous que pour moi, qui suis passée maître dans l'art de me trouver de bonnes excuses.

Non, sans blague, madame, s'il vous plaît ! Imaginons que je ne puisse pas résister, que je sois obsédée par la faim, que je ne puisse pas me retirer cette idée de la tête, qu'est-ce que je fais ?

— Tu fais... conde, tu fais... dayine, tu fais... laga, tu fais... ribote, tu fais... lation.

— Très drôle, Diablotin, mais je t'ai pas sonné ! On essaie de parler sérieusement. Alors ?

— Alors, me dit la diététicienne, vous pouvez prendre une petite collation, comme vingt grammes de céréales avec quinze centilitres de lait demi-écrémé, ou bien un fruit cuit ou cru et un laitage, ou bien trente grammes de pain et trente grammes de fromage, ou bien encore deux biscottes avec cinquante grammes de jambon blanc.

Il y a des moments où il peut être justifié qu'on prenne un petit en-cas.

En dehors d'un petit plaisir occasionnel, ce qui n'est pas interdit et même conseillé, on peut prendre ce genre d'en-cas si on fait un effort physique. Là, pas besoin de dérogation, on peut y aller. Donc si on est gourmand, voilà une bonne raison de se bouger. Cet en-cas est également permis si le temps entre deux repas excède huit heures.

On est presque revenus à l'hôtel quand notre prof bifurque et s'arrête devant une montée à quarante-cinq degrés. Pour ceux qui ont oublié leurs classiques, c'est la moitié d'un angle droit et c'est limite l'escalade.

— Vous vous sentez capables de monter cette côte ?

Bien sûr, pour qui tu nous prends, jeune blanc-bec ?

J'ai mûri, certes mais pour certaines choses j'en suis un peu restée au « t'es pas cap ».

Il suffit qu'on doute de moi pour que je fonce.

Ce que je fais sans avoir écouté une broque de ses recommandations.

— Ne pars pas si vite, dit Véronique. C'est plus dur que tu ne le vois. Je l'ai déjà fait.

De quoi je me mêle, je suis en béton, elle ne me connaît pas. Ce n'est pas une petite côte qui va m'arrêter, et puis je suis partie et pas question de faire marche arrière, j'aurais l'air de quoi !

— Attends, je te la grimpe en deux temps, trois mouvements, facile ! je lui réponds sans m'arrêter.

Allez, respire à fond, garde le rythme, on te regarde... C'est dur... Les muscles de mes jambes commencent à chauffer, je me retourne, ils grimpent au rythme de la tortue, moi je suis le lièvre et je vais faire mentir La Fontaine. Ça y est, j'y suis presque. À bout de souffle, certes, mais c'était pas la mer à boi... Ah, d'accord !

Vous avez déjà entendu dire qu'un train pouvait en cacher un autre ? Eh bien les côtes, c'est pareil, et la même se dresse devant moi, cachée auparavant par la perspective et un petit faux plat. La tentation de les attendre est grande. Ils me parlent, mais j'ai un peu de mal à répondre car j'ai le souffle court et tente un geste de la main.

Je ne peux pas perdre la face. Allez, courage, on y va.

Je vais repartir un peu plus doucement, comme eux. De toute façon, je ne vois pas comment faire autrement, mes muscles sont tétanisés et ne répondent presque plus.

J'arrive la première. L'honneur est sauf mais pas les jambes, ni mon cœur, qui bat le tam-tam dans ma poitrine.

— Ça va ? me demande Isabelle en me voyant rougeaude et suant à grosses gouttes.

— Pas de problème, je me sens aussi fraîche qu'un pot de crème du même nom ayant dépassé la date de péremption.

Nous éclatons de rire.

Ha ! Se plonger dans un bon bain chaud, bouillonnant.

Cet après-midi, je ne boude pas mon plaisir, et je m'assoupis de soin en soin et de transat en transat.

Ne m'en voulez pas, mais je vais me laisser glisser un instant dans les bras de Morphée.

– VIII –

CONFÉRENCE DIÉTÉTIQUE
ET RECETTES « COCKTAIL » À L'APPUI

Hein ! Quelle heure il est ?

Non ! Mais vous auriez dû me réveiller, on va être en retard au cocktail ! Je suis encore en peignoir.

Je traverse les couloirs en courant, je saute dans un survêtement bien douillet.

Je me demande si je ne devrais pas mettre un truc un peu plus serré histoire de me rappeler que je dois faire attention.

Oh non ! Je suis tellement bien comme ça, j'ai toujours opté pour le confort, je continue.

Vous êtes prêts, on y va ? Vous êtes motivés ?

Oh ! La belle table et toutes ces bonnes choses dessus !

C'est permis ? Pas tout de suite ? Ah... D'accord, on attend. D'abord la conférence et puis on goûte. Super ! Alors je vais m'éloigner un peu et m'attacher sur cette chaise, là-bas...

Heureusement que nous ne sommes pas trop en avance, parce que ce n'est pas humain de nous mettre tant de mets appétissants sous les yeux.

Notre jolie diététicienne arrive. Ça fait un peu pléonastique de dire ça, car la plupart du temps elles sont jeunes, minces et jolies. Vous croyez qu'il y a une sélection à l'embauche ou il n'y a que des filles de ce genre qui veulent faire de la diététique ?

Oui, vous avez raison, quelque part, c'est normal. Imaginez qu'on soit briefés par un boudin, on se demanderait pourquoi elle n'essaye pas d'abord sur elle, ça aurait beaucoup moins d'impact.

Écoutons ce qu'elle nous raconte.

Je suis heureuse d'apprendre que, pendant cette période d'amincissement, il est recommandé de ne pas se couper du monde. Elle va donc nous expliquer comment recevoir et quoi faire quand on est chez des amis.

Comme on l'a déjà dit, elle préconise de prendre une petite collation à base d'œuf ou de jambon ou de fromage blanc avant de se rendre à un dîner pour ne pas trop craquer.

Ensuite, une fois chez les amis, il vaudrait mieux – mais ça on s'en doutait – ne pas se jeter sur des choses trop grasses, genre saucisson, et s'il n'y a que ça et qu'on ne peut pas demander une petite carotte, en prendre très modérément.

À l'Ouest rien de bien nouveau. Donc j'aimerais qu'elle nous trouve des solutions miracles. Mais apparemment il n'y en a pas. Alors, sauf si vous êtes très intime avec votre hôte, soit vous restez chez vous, soit vous restez chez vous. En tout cas, moi, c'est ce que je vais faire.

Parce que quand vous invitez, là, notre diététicienne fourmille d'idées et de bonnes recettes.

Oui, ça vient, elle va nous les donner, ne soyez pas impatients.

Premièrement, considérez que les petits amuse-gueule que vous allez préparer sont l'entrée de votre repas. Vous les servez à l'assiette, comme ça vous limiterez l'apport global de Calories de votre repas et vous n'aurez pas tendance à grignoter plus qu'il ne serait souhaitable.

Oh là ! Je vous vois. On ne pique pas dans l'assiette de son voisin ! C'est bien de faire des petits plats diététiques, mais si on les mange en trop grande quantité, ça ne sert à rien.

Commençons par les boissons.

Faites des cocktails diététiques, c'est-à-dire non alcoolisés, avec au moins un jus de légumes, et sans ajout de sucre ni de sirop.

L'idéal serait que pour trente centilitres, il y ait moins de cent Calories.

Si vous prenez des jus de fruits du commerce, veillez à ce qu'ils soient sans sucres ajoutés.

En fait, c'est mieux de presser ses fruits soi-même et de centrifuger ses légumes.

Comment ? Vous n'avez pas de centrifugeuse ! C'est quand votre anniversaire ? C'est passé. Ah zut ! Je pense qu'il doit y en avoir de pas trop chères dans tous les bons supermarchés, et c'est vraiment indispensable pour l'été.

Allez, n'hésitez plus, investissez !

Non, je vous jure que je n'ai pas d'actions chez les fabricants, mais maintenant que vous m'y faites penser...

Et notre esthéticienne continue. Franchement, là, je n'apprends pas grand-chose. Ce sont des lapalissades et nos petits canapés refroidissent.

De quoi elle parle ? Des alcools.

Pas d'alcool, on sait... Ah non, on n'est pas obligé de faire une croix dessus ?

Il faut juste doser, et à la maison on a tendance à surdoser.

Chaque alcool a sa propre valeur calorique.

Car chaque alcool contient une quantité plus ou moins importante de sucre. Or un gramme de sucre apporte quatre Calories.

Voici plusieurs exemples, pour une dose de douze centilitres, qui correspond à un petit verre dans les bars et les restaurants.

- Un verre de vin rouge à 12° = 82 Calories.
- Un verre de vin rosé à 12 ° = 83 Calories.
- Un verre de vin blanc sec à 11° = 84 Calories.
- Un verre de vin blanc liquoreux à 16° = 115 Calories.

Mais aussi :
- 10 cl de champagne brut à 12,5° = 78 Calories.

- 10 cl de champagne doux à 12,5° = 90 Calories.
- 25 cl de bière à 5° = 110 Calories.
- 5 cl de porto/Martini dry à 18° = 70 Calories.
- 5 cl de Cinzano à 15° = 72 Calories.
- 4 cl de whisky à 40° = 90 Calories.

Alors là, je tombe des nues. Pourquoi dit-on toujours qu'il vaut mieux prendre du champagne parce que c'est moins calorique ? C'est entièrement faux. Un bon verre de vin rouge est aussi bien, et pour moi meilleur, car il ne m'oblige pas à acheter en plus la boîte d'Alka-Seltzer.

En fait, c'est comme pour le reste, si on respecte les doses, rien ne nous empêche de nous faire plaisir.

Je dois vous dire que, pour moi, c'est une bonne nouvelle. Pas que je sois alcoolique, au contraire, je ne bois pas quotidiennement. Chez nous, on ouvre une bonne bouteille seulement quand des copains viennent manger.

— Non, Diablotin ! Je ne reçois pas des copains tous les jours. Pour qui tu cherches à me faire passer ?

C'est en Corse que ça se corse.

À l'apéritif, j'ai du mal à dire non à un délicieux petit muscat. Et savoir que je vais pouvoir, de temps en temps et pour cause de convivialité, me laisser tenter me réjouit.

Maintenant, notre guide minceur nous donne les recettes et compositions des cocktails que nous allons goûter.

Bien sûr, il y a tous les cocktails de fruits et légumes mélangés.

— 40 cl de jus de tomates.
— Le jus de 1 citron et 60 cl de jus de poire.
— 20 cl de jus de pomme.
— 2 cl de jus de carotte et 5 cl de pamplemousse.

Vous pouvez en inventer plein comme ça, du moment que le mélange comprend un jus de légumes.

Et le petit plus, c'est de les allonger avec de l'eau plate, ou même, mieux, pétillante. Je trouve que ça rafraîchit encore plus et vous pouvez en boire une plus grande quantité.

Tous ces jus varient entre 40 et 80 Calories.

On peut les épicer avec du sel de céleri ou du tabasco. On peut aussi, pour certains, ajouter un peu de yaourt 0 % nature ou à la noix de coco, comme dans celui-ci.

COCKTAIL SOUVENIR DES TROPIQUES

Pour 2 verres (54 Calories par verre)
- 5 cl de jus de carotte
- 8 cl de jus d'ananas
- 1 cl de jus d'orange
- 1 cuillerée à soupe de yaourt à la noix de coco

Passez le tout au mixeur ou à la centrifugeuse et servez très frais.

On peut aussi combiner les infusions ou thés glacés avec des jus de fruits et de légumes.

JUS DE THÉ À LA CANNELLE

Pour 8 verres (24 Calories par verre)
Faites un litre de thé, mélangez-le avec un 1/2 litre de jus de pomme, sucrez avec de l'édulcorant, rajoutez de la cannelle et servez frais avec une tranche de citron. C'est délicieux et très peu calorique.

Encore une fois vous l'avez compris, on peut décliner toutes ces idées et laisser courir son imagination.

Il y a aussi cette boisson qui nous vient d'Inde : le lassi.

Vous connaissez la cuisine indienne ? Oui ? Eh bien moi je dis que vous croyez la connaître, car ce n'est pas la même là-bas qu'ici.

C'est magnifique l'Inde, dépaysant au possible, étonnant, éblouissant, et merveilleux mais, là-bas, vous ne trouvez des tandooris et des plats mijotés au curry que dans les grands hôtels internationaux ou dans les hauts lieux du tourisme, comme le restaurant du Taj Mahal, à Agra.

Le reste du temps, on ne vous sert que des plats à base de riz et de petits pois, avec très peu de viande.

La seule chose que l'on trouve un peu partout, ce sont les jus de canne à sucre qu'on vous presse à la seconde avec la centrifugeuse made in débrouillardise et le lassi, qui est une boisson assez courante servie avec des plats épicés pour en apaiser la brûlure.

Lassi diététique

Pour 8 verres (80 Calories par verre)
- 5 yaourts à 0 %
- Quelques feuilles de menthe
- 2 cuillerées à soupe de sirop de menthe (eh oui !)
- 1 citron

Battez les yaourts et le jus du citron au fouet, ajoutez 75 cl d'eau, le sirop et les feuilles de menthe finement hachées. Laissez infuser et passez le lassi dans une passoire avant de servir, très frais.

Je ne sais pas si cette préparation sera aussi bonne que celle que je buvais là-bas, car j'ai l'impression que ça doit être sucré, alors que d'ordinaire ça ne l'est pas.

On verra bien.

Et c'est quoi ça, dans la bassine ? On dirait une sangria.

C'en est une, sans alcool, pour seize personnes et il n'y a que 54 Calories par verre ! La diététicienne m'explique...

SANGRIA SANS ALCOOL

Vous mettez dans un grand saladier un peu d'extrait de vanille, du faux sucre, des oranges et 1 citron coupés en tranches, des grains de raisin, de la cannelle. Vous ajoutez 1 litre de jus de pomme. Vous laissez mariner au moins 2 heures, et vous ajoutez 50 cl d'eau gazeuse pas trop salée juste avant de servir.

Oh, que j'ai soif et faim ! On ne pourrait pas faire un break ? On goûte le cocktail et on continue après.

Mon idée n'a pas l'air de faire l'unanimité. OK, je me tais, poursuivez.

C'est dur ! Surtout qu'elles sont jolies les petites aumônières qui me sourient et me font de l'œil.

C'est quoi, ça ? Allons-y, je me dépêche de noter la recette.

CROUSTILLANTS DE LÉGUMES

Pour 4 personnes (66 Calories par aumônière)
- 4 feuilles de brick
- 1 carotte
- 50 g d'endive
- 50 g de tomate
- 50 g de poivron
- 10 g d'échalote
- 10 g d'oignon

- 2 cuillerées à café d'huile d'olive
- Coriandre et gingembre frais
- Sel et poivre

Faites revenir les légumes coupés en fines lamelles dans l'huile d'olive. Salez, poivrez, ajoutez le gingembre râpé et la coriandre ciselée.
Répartissez les légumes sur les bords des feuilles de brick et roulez-les.
Coupez ces gros rouleaux en petits tronçons et passez-les au four quelques minutes pour qu'ils dorent, en les retournant une fois.

C'est assez génial, les feuilles de brick, et la pâte filo aussi. La pâte filo, c'est presque pareil sauf que, contrairement au brick, qui est fait avec de la farine de blé, elle est à base de farine de maïs. Et les deux sont très peu caloriques.

En revanche, quand je vois les Calories affichées pour les feuilletés aux épinards, je me dis que je vais attendre encore un peu avant de la noter, cette recette-là. 219 Calories par personne. Vous y tenez vraiment ?

Non, on peut faire mieux.

Par exemple, les très classiques

PETITS BÂTONNETS DE LÉGUMES

Pour 6 personnes (50 Calories par personne)
Accompagnés d'une sauce au fromage blanc et, pour améliorer l'ordinaire, de crevettes et de surimi.
Assaisonnez 250 g de fromage blanc 0 % avec des aromates genre ciboulette, thym, estragon, persil... Ce que vous aimez. Vous pouvez aussi y mettre du paprika, de l'ail ou de l'oignon hachés.
Vous coupez en bâtonnets 3 carottes, 1 concombre, quelques branches de céleri, des courgettes, c'est très bon cru aussi. Vous épluchez 1 botte de radis, vous coupez en petits bouquets un chou-fleur. Vous ajoutez 200 g de surimi et 200 g de crevettes, et le tour est joué. Cela fait une entrée tout à fait consistante et longue à grignoter.

Il y a aussi des petites omelettes épaisses et coupées en carrés. Oh ! On dirait de la quiche, ça a l'air bon. Et puis c'est très facile à préparer.

QUICHE AU JAMBON

Pour 2 personnes. Vous battez 3 œufs en omelette. Vous ajoutez 1 cuillerée à soupe de Maïzena et 50 cl de lait demi-écrémé puis 60 g d'emmental râpé, allégé si possible. Vous salez et poivrez. Vous coupez 2 tranches de jambon en tout petits carrés, que vous disposez au fond d'un plat antiadhésif. Vous versez votre appareil dessus et laissez cuire environ 45 minutes à 180 °C (th. 6).

Vous servirez cette quiche aussi bien froide que tiède ou chaude, coupée en petits cubes.
Et rien ne nous empêche de la faire au saumon ou aux épinards.

Tiens, une autre idée avec le jambon.

On tartine les tranches avec des petits carrés Gervais frais à 0 % qu'on aura mélangés à de la ciboulette et de la coriandre fraîches ciselées puis on les roule, on les coupe en petits tronçons et on les maintient à l'aide de petites piques à amuse-gueule en bois.

Et avec les piques, on peut aussi faire des brochettes de légumes et de fruits selon ses goûts et la saison.

Bon, n'en jetez plus la cour est pleine, et maintenant je goûte, et essayez de m'en empêcher ! Non mais ! Je n'ai pas payé pour des séances de torture.

Vous n'allez pas faire comme ma mère qui, tiraillée entre l'envie de me faire plaisir et le désir que je fasse attention à ma ligne, laissait chez moi, sur le bar, bien en vue, un paquet de millefeuilles – vous savez, ceux avec le sucre glace dessus, qui vous en met plein les narines –, et un petit mot : « Attention ça fait grossir ! »

Là, on ne peut même pas dire ça...

Feu vert. Oui, c'est vrai, on peut ? Miammm ! C'est merveilleusement bon, toutes ces petites choses fraîches et onctueuses. Et ces petites barquettes d'endives au thon ! C'est quoi, la petite sauce qu'il y a avec le thon ? Ah ! Du yaourt, du citron et du persil haché. Bien sûr, je suis bête, j'aurais dû deviner.

Bon, alors où j'en suis ? Je dois bien avoir pris mes 150 Calories. Je m'arrête. Pas de dérogation.

Remarquez, finalement c'était tellement plaisant, toutes ces différentes saveurs, que je suis presque rassasiée.

Et fatiguée aussi, donc je prends mon plat et mon dessert dans ma chambre, je regarde un bon film et je dors.

Demain, je vous emmène en cuisine et je vous soutire les menus de la semaine. Comme ça, vous pourrez faire vos courses à l'avance.

AUTRES RECETTES MINCEUR

Bien dormi ?

Comme un bébé ! Une heure je dors, une heure je pleure.

Non, c'est une blague ! J'ai vraiment dormi comme un loir. Ce doit être les premiers effets de la nourriture équilibrée. Je ne suis pas ballonnée, je me sens plus légère et je dors mieux. Vous aussi, ça vous fait ça ? Je suis contente.

N'oubliez pas de pratiquer quotidiennement
une activité physique.

Il pleut ce matin et ma balade est compromise. Qu'à cela ne tienne, je vais faire un peu plus de yoga et puis j'irai nager une heure à la piscine de l'hôtel.

— Et tes copines ? Tu te souviens, tu leur as donné rendez-vous à la piscine de Salins, me rappelle Angelot.

— Le truc d'eau boueuse ? Oh flûte ! J'avais oublié. Mais tu crois qu'on peut y aller avec la pluie ?

— N'essaie pas de te défiler, tu sais très bien que oui.

— Bon, je m'habille. Mais je n'ai pas de maillot marron et mon rose va être tout sale.

— Elles t'ont dit que ça s'enlève au rinçage. Tu le fais exprès ?

— Arrête ! Non, franchement, je ne le sens pas. Je vais trouver une excuse bidon. D'abord, je ne pense pas que j'arriverais à me glisser dans cette eau marron, ce doit être tout gluant, rien que d'y penser, j'en ai la nausée. On ne doit même pas voir sur quoi on pose les pieds et puis ils vont tous me regarder de travers. En plus, c'est juste pour voir, j'en ai pas besoin. J'appelle les copines...

Voilà, c'est fait ! Quartier libre ce matin.

Allez, je bouge. Je commence à retrouver le plaisir de bouger.

La seule chose qui me manque, c'est ma famille. J'ai du mal à être loin d'eux. Je suis très casanière. J'aime les maisons et le cocooning.

Mais fini de rêvasser, je suis là pour plonger dans la piscine et pas dans la nostalgie.

Plouf ! C'est délicieux. Dans l'eau, je ne m'ennuie jamais.

J'adore nager, mais pas tellement en piscine. Dans la mer, c'est tellement mieux. J'avais commencé l'été dernier avec Christine, une copine. Pendant quinze jours, vers 18 heures, nous allions jusqu'à la bouée des trois cents mètres. C'est pas très long, mais il faut lutter contre le courant et, au bout de quinze jours, ce n'est pas que j'avais maigri, mais mes jambes étaient beaucoup plus fines. Je m'y remets cet été.

J'envie les gens qui vivent près de la mer et qui peuvent y aller quand bon leur chante. Remarquez, ce ne sont pas ceux-là qui en profitent le plus.

Nous, à Paris, on a des tonnes de cinémas, de théâtres, de musées, mais on n'a pas le temps d'en profiter pleinement.

C'est comme les soirées, les gens pensent que dans mon métier on sort, on fait la fête. C'est faux. Peut-être le fait-on quelque temps, quand on débute, mais c'est très vite lassant. Vous voyez toujours les mêmes têtes et vous avez l'impression que chacun parle à un miroir. Ils parlent d'eux, débattent de sujets multiples avec eux-mêmes.

Pour illustrer, laissez-moi vous parler de mon premier agent artistique que je croise à la cérémonie des 7 d'Or et qui me parle du film dans lequel il joue — ce qui est un comble pour un agent, qui est censé trouver des rôles à ses acteurs — et me demande la gueule enfarinée : « Et toi, qu'est-ce que tu fais en ce moment ? »

— Je te quitte, ai-je répondu aussi sec.

Il avait juste oublié que je jouais au théâtre Grévin depuis deux semaines, comme il avait oublié de venir me voir à la générale. En revanche, il n'oubliait jamais d'encaisser ses 10 %. Celui-là, j'aurais mieux fait de me casser la jambe que de le rencontrer.

Les meilleurs rencontres sont toujours fortuites. Je crois beaucoup au hasard et à la chance. J'ai toujours cru en ma bonne étoile. De nombreux métiers me tentaient dans la vie : vétérinaire, prof de gym, photographe, puéricultrice, clown dans un cirque, et puis un jour j'ai décidé de me jeter à l'eau. Je m'étais fixé jusqu'à vingt-cinq ans pour réussir comme comédienne, après quoi, je me dirigerais sans regret vers une autre de mes voies.

Le hasard m'a mise en présence des bonnes personnes au bon moment. Bien sûr, j'avais la volonté et l'envie, mais sans l'heureux hasard...

La première fois que je me suis présentée pour le rôle de Nana, j'ai été jetée comme une malpropre par la directrice de casting. Elle m'a ri au nez.

— Non, mais vous vous êtes regardée ? Vous n'êtes pas du tout le personnage, et puis vous avez un cheveu sur la langue.

— Non, madame, ce n'est pas un cheveu c'est une moumoute ! Et alors ? Ça n'a pas empêché Simone Signoret de réussir, que je sache.

— Laissez votre photo, on vous appellera.

Des photos, je venais d'en faire pour le casting d'un film sur la vie de Victor Hugo, en vue de jouer sa sœur, modèle de peintre.

Elles étaient assez belles et collaient tout à fait avec le rôle de Nana. Quelle chance !

J'en laisse donc une, que la directrice de casting met dans un dossier destiné à ne pas être montré, je l'ai appris par la suite.

Je dis ça à toutes celles et tous ceux qui veulent se lancer dans la carrière. Faut avoir du courage et s'accrocher parce que le cercle vicieux est dur à rompre. En même temps, il n'y a pas tellement de bonnes places et elles appartiendront aux plus chanceux, comme je vais continuer de le démontrer.

Je rentre chez moi dégoûtée. J'habitais un tuyau sur cour près de la Contrescarpe et m'étais fait une copine étudiante en journalisme, dont je partageais le studio pendant que nos chats nettoyaient le mien, squatté par des souris.

Elle connaissait très bien le cousin de la tante d'un copain du fils du metteur en scène Maurice Cazeneuve. Elle promit de me trouver son numéro.

Moi, je ne décolérais pas contre cette foutue directrice de casting.

— Le metteur en scène cherche une actrice confirmée, avait-elle dit.

Confirmée ! T'as raison, ça court les rues les actrices confirmées de dix-huit ans ! À moins d'avoir commencé au même âge que Shirley Temple, on ne peut que très rarement avoir du métier si jeune. Dis-moi tout de suite que tu vas faire comme avec Martine Carol, qui a déjà incarné le rôle, tu vas prendre une actrice de trente ans !

Et moi qui en ai vingt, comment je fais si on ne me laisse même pas la chance de prouver ce que je vaux ? Je sais bien que je peux être Nana. J'en ai l'âge, la silhouette et la gouaille.

Ma copine ne bluffait pas, et me voici, quelques jours plus tard, en possession du numéro personnel de Maurice Cazeneuve.

Maintenant, il faut l'appeler. Je prépare un petit laïus. Je vais lui dire : « Bonjour, je suis la jeune actrice qui s'est fait jeter par votre casting. »

Non, pas comme ça. Je vais lui dire : « Salut, c'est Nana... Enfin, celle que vous cherchez pour le rôle, et je voudrais vous rencontrer... » Non, il faut trouver mieux.

Bon, je lui dirai demain. Et puis demain, et puis demain. Et une semaine plus tard, je n'avais toujours pas appelé.

— T'es bête, qu'est-ce que tu risques ? me gronde ma pote. Qu'il te raccroche au nez ? Au moins, tu seras fixée.

— T'as raison, je rentre à la maison et je l'appelle.

Je pousse la porte, je me dirige vers le téléphone, et je vois mon répondeur clignoter.

Un message. Je l'écoute d'abord et j'appellerai ensuite.

— Bonjour, Maurice Cazeneuve à l'appareil. J'ai vu votre photo et j'aimerais vous rencontrer...

Heureusement que je n'avais pas de quoi m'acheter une table et que, mon répondeur étant par terre, j'étais déjà assise sur le cul, car pour sûr, je n'aurais pas fait mentir l'expression.

Ma chance était de ressembler à un tableau de Manet que Maurice Cazeneuve s'était mis en tête d'approcher. Si le hasard et son professionnalisme ne lui avaient pas fait ouvrir le dossier des écartées, je ne serais peut-être pas là aujourd'hui. J'en ai croisé tellement, des comédiennes étonnantes de talent qui n'ont toujours pas rencontré leur chance et ne la rencontreront peut-être jamais.

Mais une des particularités de mon métier, c'est l'espoir. Du jour au lendemain, tout peut basculer, et c'est ce qui en fait l'attrait. Comme dans un conte de fées, la pauvresse peut se changer en princesse. Cela dit, rien n'est jamais acquis non plus, et la princesse peut redevenir crapaud.

— Mais pourquoi tu leur racontes tout ça ? Depuis le temps que tu joues, ils doivent la connaître par cœur ton histoire, grogne Angelot.

— Ah oui, tu crois ? Moi, depuis vingt-cinq ans, je n'ai que très rarement lu des articles me concernant qui correspondaient à ce que j'avais raconté ou à ce que je suis.

— Et râleuse comme tu es, tu n'as jamais réagi ?

— Si, au début, c'est tellement énervant de voir ses propos détournés, déformés. Le français est une langue si subtile que, suivant la place de la virgule, le sens de la phrase peut être modifié. Tu ne peux pas être derrière chaque journaliste, alors tu finis par te dire que ce n'est pas si grave. Tu deviens laxiste.

Je ne parle pas, bien sûr, de la presse à scandale, qui ne se gêne pas pour sortir des titres à faire tomber raide votre mère d'une crise cardiaque. Celle-là je la méprise, et je méprise aussi bien les juges qui, ces derniers temps, lui trouvent des circonstances atténuantes.

Sous prétexte que le public sait que ce sont des torchons qui ne disent que des conneries, en gros titre de leur une, pour attirer le chaland, on doit les laisser afficher que vous vous êtes fait poignarder dans le dos par votre meilleur ami.

Il ne vous reste plus qu'à acheter le journal pour constater, après avoir lu l'article, que la blessure n'est que psychologique et relève d'une prétendue trahison, et à appeler le Samu pour votre maman.

— Alors, tu vois, Angelot, on n'est jamais mieux servi que par soi-même.

— Eh bien, tu es remontée ce matin. En pleine forme ! Faut pas te titiller beaucoup pour en prendre pour son grade.

— Tu trouves ? Moi j'ai plutôt l'impression d'avoir été modérée. Tu veux que je te parle du connard qui...

— Non, non, on te croit, nage et respire !

C'est vrai que je m'emballe vite pour n'importe quel sujet. C'est mon tempérament, et ça ne m'a pas toujours servie. Je pourrais tourner sept fois ma langue dans ma bouche avant de dire quelque chose, mais c'est plus fort que moi, faut que ça sorte.

Tiens ! Il est déjà midi, et mon estomac ne s'est pas fait remarquer. Il y a des progrès. « Nourriture ! Manger ! Fromage ! Gâteau ! » : rien, il ne se passe rien. Je ne me mets pas à délirer ni à chercher coûte que coûte un truc à me mettre sous la dent. C'est pas croyable !

Je me dirige quand même vers le restaurant, comme me l'a conseillé la diététicienne, car jusqu'à présent je ne me porte pas trop mal en suivant ses prescriptions.

***Il faut passer à table à heures régulières,
même si on n'a pas faim.***

Quand elle m'a dit ça la première fois, j'ai pensé : j'ai toujours faim, ma grande, alors pas de souci pour moi. Et là, ça fait cinq jours que je suis là et je pense de moins en moins à manger. Ça a été plus long pour la cigarette. Il m'a fallu près de trois ans pour me la sortir de la tête.

Me revoilà dans la grande salle, à me chercher une table. Quelques sourires, des saluts de la tête.

Et si on réunissait toutes nos solitudes ?

— Garçon, vous pouvez me dresser la grande table ronde pour huit, s'il vous plaît.

Pourquoi ? semblent me demander ses yeux de merlan frit. Pourtant je lui ai déjà parlé à celui-là, je suis sûre qu'il comprend le français.

Je recommence et ne lui laisse d'autre alternative que d'accepter. Je sais être persuasive.

Et maintenant passons aux invitations. D'abord la table de trois. Elles ont l'air sympathiques.

— Bonjour.

Je me présente, même si tout de suite je vois que ce n'est pas nécessaire, tout le monde n'est pas obligé de regarder la télé.

— Ça vous dirait de vous joindre à moi et à quelques autres personnes seules ?

C'est un oui franc et massif qui les transporte la seconde suivante autour de la grande table ronde.

Les regards intéressés de quelques autres curistes isolées guident mes pas. Nous nous retrouvons bien vite au complet. Il y a Patricia, Dorine, Isabelle, Jeanne, Sylvie, Sandrine et Cathy.

Très vite les langues se délient et nous apprenons à nous connaître. Toutes sont des femmes mariées, mères de famille, venant des quatre coins de la France.

Patricia m'est de but en blanc très sympathique. Son physique rond mais tonique, son sourire avenant, sa bonne humeur et son côté extrêmement à l'aise et assumé font plaisir à voir.

Elle vit à Nantes, travaille comme une folle, s'est lancée à corps perdu dans le sport depuis le démarrage de sa cure et déboule dans des tenues affriolantes qu'elle est heureuse de pouvoir remettre, le printemps et sa ligne revenant. Elle a une semaine d'avance sur nous et a déjà bien fondu.

La deuxième qui retient mon attention, c'est Dorine.

Ce doit être la plus jeune. C'est une grande et belle femme. Elle est bien replète et sait pourquoi. Elle ne peut se retenir de manger les biscuits et les bonnes confitures qu'elle prépare à longueur d'année pour sa marmaille. Elle n'en est pas à sa première cure et probablement pas à sa dernière. C'est une vision des choses. Il y a ceux qui viennent ici pour perdre les kilos qu'ils ont pris durant l'année et partent les reprendre.

Et il y a ceux, comme moi, qui espèrent bien ne pas revenir ou alors juste pour le plaisir.

Et puis il y a Jeanne la psy, qui mange en cachette dans sa chambre des barres de protéines.

Hou la vilaine ! Mais ça fait grossir, Jeanne ! Il ne faut pas croire que, parce que ce sont des protéines, ça ne compte pas. C'est même souvent très calorique, puisque deux barres équivalent à un repas.

Elle me fait penser à une copine qui ne comprenait pas pourquoi elle grossissait : elle ne mangeait rien. Et c'était vrai. Vous pouviez la prendre en pension, elle n'allait pas vous ruiner. Enfin, c'est ce qu'on pouvait croire... Jusqu'au jour où vous l'invitiez à passer le week-end chez vous et que le matin, ô surprise, le fromage avait diminué de moitié, ainsi que le pot de glace à la vanille destiné au dessert du jour. En plus du fait qu'elle avait foutu votre futur repas en l'air, elle ne se dénonçait pas et vous laissait soupçonner toute la maisonnée...

Ce n'était pas vraiment sa faute, car son comportement relevait d'une certaine pathologie. Pour elle, tout ce qu'elle mangeait dans le noir ne comptait pas, et elle l'oubliait séance tenante... Il nous fallut quelques invitations et quelques recoupements pour comprendre et la prendre la main dans le frigo.

Les conversations vont bon train.

Très vite, Patricia et Dorine se joignent à moi pour

la promenade prévue dimanche. Patricia a une voiture, elle se propose de nous emmener.

Génial ! Plus on est de folles plus on rigole.

On va faire préparer le pique-nique par l'hôtel et se renseigner pour la meilleure balade.

Maintenant, si vous voulez bien suivre le guide, direction la cuisine pour un petit cours particulier gentiment offert par notre jeune chef.

— Hello ! C'est nous que voilà ! Vous n'aviez pas oublié notre petit rendez-vous ? Je vous amène quelques copines, je peux ?

Ça ne lui pose pas de problème, le service est fini et puis c'est donnant, donnant. On va faire une photo que je lui dédicacerai. Même service pour notre jolie pâtissière.

— Alors, qu'allez-vous nous apprendre aujourd'hui ?

— Qu'est-ce que vous diriez si je vous parlais des sauces ?

— Ça me va très bien.

OK. On peut passer la vinaigrette basique, je vous l'ai déjà donnée.

Alors on va commencer par la sauce au yaourt. Celle-là, elle est maigre au point qu'on peut la manger pendant les trois jours de protéines.

LA SAUCE AU YAOURT ULTRA MINCEUR

- 1 yaourt maigre auquel vous ajoutez du sel, du poivre et un peu d'échalote
- 1 cuillerée à café de moutarde
- Et puis des herbes selon ce qu'elle va accommoder ou accompagner

Vous pouvez la décliner en enlevant la moutarde, en mettant beaucoup de persil, de la ciboulette ou des herbes de Provence.

Vous pourrez aussi l'améliorer quand vous serez arrivés à un stade de stabilisation.

LA SAUCE AU YAOURT MINCEUR MAIS PAS TROP

- 1 yaourt 0 %
- 1 cuillerée à soupe de vin blanc
- 1 pointe d'ail écrasé.
- 1 cuillerée à soupe de ciboulette
- 1 cuillerée à soupe d'huile d'olive
- Sel et poivre

Je le répète pour ceux qui arrivent en cours de route, s'il y a 1 cuillerée à soupe d'huile d'olive, c'est qu'elle n'est pas pour vous tout seuls, cette sauce. Elle est pour quatre personnes. Vous, vous n'avez droit qu'à... qu'à... J'attends !

Une cuillerée à café d'huile par repas. Bravo, ça rentre.

Si vous avez du mal, vous n'avez qu'à vous faire des petites fiches pense-bête que vous affichez sur le frigo. Moi c'est ce que je vais faire.

LA MAYONNAISE ULTRA MINCEUR

Pour 2 personnes (50 Calories par personne)
- 1 jaune d'œuf
- 1 petit pot individuel de fromage blanc 0 %
- 1 cuillerée à café de moutarde
- Le jus de 1/2 citron

LA MAYONNAISE MINCEUR MAIS PAS TROP

- 2 jaunes d'œufs (120 Calories)
- 2 cuillerées à café de moutarde (12 Calories)
- 5 cuillerées à soupe d'huile de tournesol (500 Calories)
- 1 cuillerée à soupe de jus de citron (5 Calories)
- 250 g de fromage blanc 0 % (110 Calories)
- Sel et poivre

Je vous ai fait les comptes pour que vous mesuriez bien l'ampleur du désastre si vous vous abandonniez dans ce pot de mayonnaise, même minceur !

Au total : 747 Calories. Si vous ne faites pas attention, le Boeing du même numéro s'envolera avant vous.

Maintenant, si vous vous contentez d'une cuillerée, même à soupe, tout va bien.

La mayonnaise peut servir de base à d'autres sauces, comme la sauce cocktail. Il vous suffit d'y ajouter :

— 3 cuillerées à soupe de ketchup (et 51 Calories de mieux) ;

— 1 trait de cognac (30 Calories) ;

— Et 1 pointe de piment de Cayenne.

Vous pouvez aussi faire une sauce verte en y ajoutant 120 g de cresson ou de fines herbes finement hachés au mixeur.

Ou une sauce tartare. Pour cela, vous ciselez finement 1/2 oignon, 1 cornichon, des câpres, de la ciboulette (1 cuillerée à soupe de chaque condiment), et vous les incorporez à votre mayonnaise. Je vous laisse faire vos comptes, mais en gros c'est 70 Calories de mieux.

Et si vous vous concoctiez une bonne sauce pour accompagner les viandes ?

LA SAUCE PIQUANTE

Pour 2 personnes (25 Calories par personne)
- 1/2 oignon
- 1 verre 1/2 de bouillon de viande dégraissé
- 1 cuillerée à café de vinaigre
- 1 cuillerée à café rase de Maïzena
- 1 cuillerée à café de concentré de tomates
- 2 cornichons
- Sel et poivre

Vous faites suer l'oignon haché dans une casserole. Vous jetez le jus de viande dessus et vous laissez cuire 15 minutes à feu doux.

Pendant ce temps, vous mélangez doucement la Maïzena avec le vinaigre, que vous ajoutez au bouillon. Puis vous ajoutez le concentré de tomates et les cornichons hachés. Vous salez et vous poivrez.

Cette sauce est également délicieuse avec des abats.

Et comment faire pour rendre les sauces classiques légères ? On va voir si vous avez de l'imagination...

Si je vous dis sauce au poivre, comment vous procédez ? Allez, creusez-vous un peu la tête, vous allez y arriver, sauf si comme moi vous ne savez déjà pas faire la recette normale. Dans ce cas, peu importe, vous prenez la recette dans un bouquin de cuisine et, dès que vous y trouvez de l'huile, vous la remplacez en grande partie par un yaourt maigre ou du fromage blanc 0 %.

Pour épaissir ou lier la sauce, vous mettez une cuillerée à café rase de Maïzena.

Maintenant, écoutons le maître.

LA SAUCE AU POIVRE

- 1 échalote
- 1/2 verre de vin blanc
- 1 fromage blanc 0 %, qu'est-ce que je vous disais ?
- Poivre en grains
- Sel et poivre du moulin

On fait réduire l'échalote hachée dans le vin blanc et un peu d'eau. On ajoute des grains de poivre, du sel et du poivre du moulin, et on laisse cuire quelques minutes. Ensuite, on verse le mélange petit à petit sur le fromage blanc, sans le cuire, juste avant d'en napper les steaks.

Alors, vous n'en étiez pas très loin ? Vous êtes bientôt prêts à ouvrir un resto diététique. Si c'est le cas, faites-moi signe, je tiens à en être la marraine.

Qu'est-ce qu'il dit, maintenant, le chef ? Il parle de... Ah oui... La sauce Béchamel !

Pour les gratins de légumes ou, plus tard, de pâtes. Bien sûr que ça nous intéresse !

LA SAUCE BÉCHAMEL

- 40 cl de lait écrémé (134 Calories)
- 20 g de Maïzena (70 Calories)
- 1 pincée de noix de muscade
- Emmental râpé ou parmesan (si on veut)
- Sel et poivre.

Mélangez le lait écrémé froid avec la Maïzena, puis faites cuire 2 minutes.

Ajoutez du sel, du poivre, de la noix de muscade et, si vous le voulez, le fromage. Vous pouvez napper vos légumes ou vos pâtes déjà cuits et les passer au four.

On peut aussi mettre moitié moins de lait et remplacer l'autre moitié par du bouillon de volaille.

LA SAUCE GRIBICHE

Pour 8 personnes
Si bonne pour accompagner les viandes du pot-au-feu, entre autres...
- 250 g de fromage blanc 0 % (110 Calories)
- 1 cuillerée à soupe de vinaigre de cidre (4 Calories)
- 2 œufs durs (120 Calories)
- 2 cuillerées à soupe d'huile (200 Calories)
- 3 cornichons
- 1 échalote (10 Calories environ)
- 1 cuillerée à café de moutarde (6 Calories)
- Des feuilles d'estragon
- Sel et poivre

Vous hachez séparément les cornichons, l'échalote, l'œuf et l'estragon.

Vous mettez dans un bol la moutarde et le vinaigre, que vous salez et poivrez. Vous émulsionnez comme pour une mayonnaise avec l'huile. Vous ajoutez progressivement le fromage blanc puis les œufs durs, le cornichon, l'échalote et l'estragon. Vous goûtez.

Pour diminuer le nombre de Calories, vous pouvez prendre de l'huile de paraffine parfumée à l'estragon (0 Calorie) ou à autre chose. Moi je n'aime pas particulièrement ça, mais on peut faire moitié-moitié.

C'est vrai que le total fait 450 Calories, mais n'oublions pas que c'est pour huit personnes. Alors, cela ne fait plus qu'environ 56 Calories par personne, ce qui n'est pas grand-chose pour se régaler. Imaginez que vous mangiez 100 g de paleron (200 Calories). Plus la sauce, ça fait 256 Calories. Plus 200 grammes de légumes (carottes, poireau, navets), qui font moins de 50 Calories.

Vous en êtes, pour un plat copieux et délicieux, à 300 Calories.

Il vous reste 100 Calories pour le dessert. Si vous les choisissez bien, vous pouvez vous faire deux belles boules de sorbet.

C'est pas génial ?

Bon, je pense qu'on a déjà de quoi faire, parce qu'on sort de table et je sature... Il n'y a plus de place pour la moindre idée de nourriture.

C'est nouveau comme sensation, la satiété. Ça y est, je suis guérie.

— Même pas un ou deux petits desserts pour clore la séance ? demande tristement la pâtissière. J'étais en train de préparer de délicieux tiramisus aux fruits rouges.

Tilt ! Tiramisu ! Tiramisu ! Alerte ! Alerte !

Comme dans un cartoon de Tex Avery, mes yeux sortent de leurs orbites et ma langue pend jusqu'au carrelage.

— Tu disais ? se moque Diablotin. Que tu étais totalement guérie ?

— Au lieu de te foutre de moi, laisse-moi t'expliquer. Je n'ai pas dit que j'étais guérie de la gourmandise, j'ai dit que j'étais en passe d'être guérie de ma sensation de faim perpétuelle. La gourmandise, ça, je ne pense pas qu'on en guérisse jamais. À moins que je parte chez les moines au fin fond du Tibet ou que je me fasse lobotomiser, je suis condamnée à lutter à vie. Allez, laisse-nous prendre des notes.

Tiramisu aux fruits rouges. Ça sonne tellement bien qu'on n'a pas besoin d'avoir faim.

À leurs hochements de tête et leur air gourmand, je vois que mes petites camarades sont du même avis.

— Puisque vous insistez, dis-je hypocritement à la pâtissière.

— Cette fois je les ai faits aux framboises, précise-t-elle.

— Très bien, c'est frais et léger. Alors, comment fait-on ?

TIRAMISU AUX FRUITS ROUGES

Pour 6 personnes
- 2 jaunes d'œufs
- 20 g de sucre
- 500 g de ricotta (en fait, c'est ça qui fait la différence. D'ordinaire on prend du mascarpone, et c'est beaucoup plus gras)
- 50 g de fromage blanc 0 %
- 25 cl de crème fouettée
- 500 g de fruits rouges (framboises...)
- Biscuits à la cuillère

Vous mélangez les jaunes d'œufs, le sucre, la ricotta et le fromage blanc. Puis vous montez les blancs en neige bien ferme, vous ajoutez la crème fouettée et vous mélangez le tout.

Dans des petits bols individuels, vous déposez 1 biscuit à la cuillère coupé en quatre puis les framboises ou autres fruits rouges, puis vous nappez avec la crème.

Et c'est pour ce soir ? On va s'éclater. Tiens, et si j'invitais Véronique et Isabelle à dîner ?

— Et puisqu'on y est, ne pourrait-on avoir quelques recettes supplémentaires ?

— Oui ! Je peux vous dire ce que j'ai prévu pour les jours à venir.

— Bonne idée ! Je comptais justement demander les menus de la semaine accompagnés des recettes.

— On ne pourra pas vous les donner, mais la diététicienne a des menus types avec des recettes très simples. Vous n'aurez qu'à les lui demander.

Oh la cachottière ! Elle s'est bien abstenue de me le dire. Je la ferai passer au sérum de vérité plus tard.

— Alors qu'est-ce que vous nous avez concocté de bon pour demain ?

Elle me le dit, et me livre la recette aussitôt.

BAVAROIS AUX FRUITS

Pour 12 personnes
Vous mélangez 500 g de pulpe de fruits, 3 jaunes d'œufs et 30 g de sucre. Vous faites chauffer cet appareil à 85 °C (th. 3), en remuant. C'est-à-dire que ça ne bout pas.
Puis vous ajoutez 6 feuilles de gélatine ramollies dans l'eau froide.
Vous mettez le tout à refroidir, puis vous y incorporez 125 g de fromage blanc 0 %, les 3 blancs en neige et 50 g de crème fouetté.
Vous versez le tout dans 12 jolis ramequins et vous servez bien frais.

— Mais, dites-moi, vous mettez du vrai sucre et de la vraie crème dans vos recettes. Est-ce bien diététique, tout ça ?

— Tout à fait ! Vu les petites quantités, ça n'a pas grande importance, et je trouve ça bien meilleur. Je ne calcule pas exactement le nombre de Calories par dessert, mais en gros cela fait 130 à 140 Calories par portion.

Trop bien ! Trop bon ! Elle me plaît bien, cette petite pâtissière, avec elle, tout à l'air si facile.

Je ne pense pas que j'aurai assez de patience pour me mettre tous les jours en cuisine. Je ferai plus simple. Un yaourt et un fruit. Mais une fois de temps en temps, je ne dis pas.

Allez, encore une. Toujours à base de fruits. Le sabayon. Hum ! Au secours ! Quel génie va enfin inventer les patchs antigourmandise ? La pâtissière rigole.

LE SABAYON

D'abord, vous installez les fruits dans des petits plats individuels qui passent au four.

Dans une casserole, vous mélangez 4 jaunes d'œufs avec du jus d'orange et 20 g de sucre. Vous les chauffez au bain-marie en remuant, vous nappez les fruits et mettez le tout à griller au four à 220 °C (th. 7-8), position gril pendant 3 minutes.

C'est bon, on s'arrête là, je vais avoir une indigestion. J'irais bien me prendre un café.

Le temps s'est remis au beau, profitons un peu de la terrasse. Moi cet après-midi je vais à mes soins tranquillou et je me détends.

Finalement, je commence à apprécier de lézarder.

C'est quelque chose que je ne savais plus faire, après avoir été Miss Farniente professionnel dans mon jeune âge. Oui, oui, j'étais très forte dans l'art de la glande, je donnais même des cours particuliers. Et puis j'ai tellement travaillé ces quinze dernières années que je ne sais plus m'arrêter sans culpabiliser. Il faudrait que les journées fassent soixante-douze heures pour que j'aie le temps de prendre mon temps. J'ai le sentiment d'être avalée par une spirale infernale qui me propulse toujours en avant.

« Attends, Mamy, ne meurs pas, je n'ai pas eu le temps de te dire "Je t'aime". »

Trop tard.

Ou alors :

« Mais où est Sam ? » dis-je en baissant les yeux à la recherche du petit bout de Zan que j'ai quitté la veille me courant entre les jambes.

« Ici », répond la voix mutante de mon préadolescent qui ne m'a pas encore dépassée mais presque et me force à lever la tête.

Bravo, Einstein, mais la relativité, il n'y avait besoin d'être un génie pour la comprendre. On la vit tous les jours.

Alors, pédale douce, on va le prendre un peu, son temps. À partir de cet instant.

Déclarez la guerre au stress.

C'est vrai que je suis trop angoissée. Par exemple, je ne peux pas m'asseoir dans un fauteuil avec un bon bouquin s'il y a trop de bordel autour de moi. Il faut que je range d'abord. Et si je me contentais de ranger ce que je vois, mais non ! Super Véro voit tout ! C'est comme si j'étais équipée d'une vision laser, je suis presque plus dérangée par le désordre que je ne vois pas. Alors j'entame le rangement d'un placard et, si par malheur j'en ouvre un autre, je continue. Et bientôt, me voilà entourée de tout un bazar auquel il faut trouver une place.

Mais c'est pas possible ! Ça ne rentre pas, et pourtant il y en a des tonnes de penderies et de rangements dans mon appartement. J'y ai bien prêté attention quand on l'a aménagé, il y a onze ans. Des mètres linéaires de penderies, comme ils disent, que j'avais obtenus à l'arraché et que j'avais su garder malgré les tentatives d'annexion successives de mon tendre époux, qui voulait les transformer en garage à baffles pour le son surround.

173

Plus une place ! Qu'est-ce qu'on entasse !

Je me retiens de tout jeter ou d'en donner une bonne partie. Je vais réorganiser. Je m'exécute.

Voilà, c'est fait, ce sera tout pour aujourd'hui. Je suis satisfaite, je peux enfin m'asseoir et me plonger dans mon bouquin...

Flûte ! Plus le temps.

Ne me dites pas qu'aucun d'entre vous n'a jamais vécu ça, je ne vous croirai pas.

– X –

LE MENU DE LA SEMAINE

Nous sommes toutes reparties à nos occupations. Je ne me suis jamais autant occupée de moi.

Ici, maigrir, c'est un boulot à plein temps. Nous n'avons pas toutes le même programme.

Patricia et Dorine ont choisi la cure au Spa de l'hôtel, et c'est Christophe, notre masseur fétiche, qui s'occupe intégralement d'elles. D'ailleurs, il avait raison, Christophe. Plus je me fais masser et moins je souffre. Au bout d'à peine une semaine, c'est presque confortable.

De plus, nos rendez-vous se sont transformés en forums débats d'idées, du coup, ça passe comme une lettre à la poste.

Si ce n'est cette sensation de froid qui me tient quand je remonte dans ma chambre à cause de sa fameuse potion aux orties. Faut quand même être maso... Quand j'étais petite, ma hantise à la campagne c'était de marcher ou de tomber dans les orties, et aujourd'hui, je paie pour qu'on m'en badigeonne les cuisses et le ventre. Je commence même à m'y habituer, et vous verrez que ça finira par me manquer.

La force de l'habitude.

Comme l'épilation à la cire. Vous vous rappelez votre première épilation ? La torture, non ? Et aujourd'hui, une vraie balade ! Enfin, moi je préfère toujours, et de loin, épiler qu'être épilée.

Oui, je sais le faire ! J'ai un diplôme d'esthéticienne. Vous n'étiez pas au courant ?

Ce n'est pas que j'en mourais d'envie, mais mes parents ne voulaient pas me lâcher dans la jungle sans un bon métier solide, et les poils, ça repousse, c'est une rente à vie, alors que comédienne...

Pas majeure, je me suis pliée à leur désir et, finalement, c'était assez drôle. Au niveau des études, pas très compliqué, avec quelques notions amusantes sur la peau et les maladies vénériennes, et au niveau de la pratique, en dehors de l'épilation, que nous avons apprise en deux minutes, et des massages et nettoyages de peau en dix, on devait faire des maquillages de fête. J'adorais dessiner sur le visage de mon modèle des papillons, des fleurs ou des masques, c'était totalement éclatant.

C'était d'ailleurs le seul cours où je mettais les pieds. Le reste du temps, je traînais au conservatoire de musique de Strasbourg avec des copains apprentis musiciens, dont mon modèle, justement, Elisabeth Sombart, future grande pianiste. Pendant qu'ils faisaient leurs gammes, je me glissais dans le Théâtre national qui jouxtait le conservatoire. Sans bruit, je m'introduisais dans la salle, tout en haut, au fond. Je m'installais bien sagement dans un fauteuil, me faisais toute petite et, pendant des heures, j'écoutais. Je me nourrissais de leur expérience et je rêvais...

C'était mon secret, je voulais être là un jour, sur scène, moi aussi, mais personne ne le savait.

Pour moi, c'était quelque chose qu'on ne devait pas dire, sous peine de le rendre moins crédible. Tout le monde peut déclarer « Je veux être actrice ». Mais c'est un métier sans certificat, vous le faites ou vous ne le faites pas.

L'année précédente, nous avions monté, avec quelques camarades de lycée, la Compagnie de la Table ronde. Nous jouions des pièces humoristiques et engagées, inspirées très librement de Bertolt Brecht et nous nous produisions dans des petites salles de village devant un public acquis. Nous projetions d'aller jouer en Avignon, off festival, mais l'interdiction parentale avait mis une fin brutale à mon appartenance à la troupe.

Pas à ma vocation, comme vous pouvez le constater.

Peut-être même cela l'a-t-il renforcée !

Toujours est-il que, mon diplôme d'esthétique et ma majorité en poche, je me glissai dans la peau d'une assistante maquilleuse stagiaire pour participer à un tournage et voir comment les choses se passaient.

Quelle expérience ! De Béthune à Paris, je tâtai de tous les postes. Un coup de main à la décoration, une petite figuration, et je décidai de m'installer dans la capitale, dans une chambre de bonne que ma grand-mère avait mise à ma disposition.

Voyez ! Comme quoi, quand on veut quelque chose, tout y mène.

Je suis contente d'avoir retrouvé la même volonté en ce qui concerne ma santé et mon bien-être. Je me sens de plus en plus inébranlable dans ma décision de régler mon problème alimentaire une fois pour toutes.

Il faut que je mette la main sur cette diététicienne, depuis le temps que je vous annonce le menu de la semaine.

Promis, au plus tard demain, sans faute.

Elles ont bien aimé le dîner, Véronique et Isabelle. Nous avons eu de la truite avec des petits légumes et le tiramisu.

Allez-y ! Essayez la recette, c'est succulent. Je vais la filer à mon frère Nicolas, pour qu'il la mette à la carte de son restaurant. Il vient d'en ouvrir un magnifique : L'Ô. C'est sur une grande barge au pont de Levallois. On y mange super bien et le cadre est magique. Ne m'en veuillez pas de lui faire un peu de pub mais je ne suis pas peu fière de sa réussite, comme de celle de mon autre frère, Frédéric, qui fait de très beaux meubles design.

J'aimerais bien que Nicolas nous concocte quelques plats allégés. D'ailleurs je trouverais génial que nous répandions l'idée que chaque restaurant doive mettre à sa carte un menu hypocalorique. Quel bonheur pour les gens qui sont obligés de manger chaque jour au restaurant !

C'est vrai que j'appréhende le retour à Paris.

Je ne sais pas d'où vient cette manie, mais la plupart de nos rendez-vous d'affaires se passent autour d'un repas.

Peut-être espère-t-on ainsi que notre interlocuteur, peu désireux d'avoir notre mort sur la conscience, ne nous assènera pas de mauvaises nouvelles qui risquent de nous étouffer. De son côté, peut-être pense-t-il que, trop occupé par les soubresauts de nos papilles gustatives, notre cerveau, réjoui, sera prêt à toutes les concessions et toutes les bassesses.

Vous connaissez ? Ah ! Chez vous, aussi, ça se passe comme ça...

J'ai encore en tête ce déjeuner, il y a environ huit ans.

Pour le replacer dans son contexte, nous venions de mettre la touche finale à une charmante comédie dont je partageais la vedette avec Pierre Arditi. Nous n'en étions pas à notre coup d'essai, le premier ayant fait un tabac, et nous nous attendions à une programmation à la fin de l'année.

J'avais donc accepté, début septembre, de présider le festival de Saint-Tropez naissant, que j'avais promu à grand renfort de couvertures de magazine et d'émissions de télé.

À mon retour, le directeur de la programmation de la chaîne m'appelle.

— Ça fait longtemps qu'on ne s'est pas vus. Si on déjeunait lundi ?

Ah bon ! Je ne trouve pas que cela fasse si long-temps ! Qu'est-ce qu'il me veut ?

Le jour dit, on s'embrasse, on se tape dans le dos, on devise gaiement, on plaisante, on s'inquiète de la santé, de la famille, des projets, mais on sent bien que le nœud de l'histoire n'est pas là.

Généralement, la nouvelle arrive au milieu d'une phrase, entre la poire et le fromage.

— On va sortir ta comédie dans trois semaines, en face de *La Bicyclette bleue*. Comment va ton fils ?

— Pardon ? Tu veux bien répéter ?

— Oui. Comment va ton fils ?

— Non, juste avant. Je ne peux pas faire rewind, je n'ai pas enregistré, mais ça parlait d'une bicyclette.

— Ah ça...

Oui, ça ! Comme si c'était un détail ! On vous colle face à un bulldozer et on vous demande quand même le succès !

J'exagère à peine. Tout à coup on bascule dans le sketch bien connu du serveur vietnamien qui dit : « Et comment va le petit ? Il est mort ? Apéritifs, messieurs dames ? »

Même s'il ne pouvait pas faire autrement, le directeur de la programmation savait très bien qu'avec si peu d'intervalle entre deux promos, je n'avais aucune chance de refaire les couvertures et les émissions où je venais de figurer. D'un autre côté, c'était plutôt flatteur de me croire assez costaude pour concurrencer un succès annoncé.

J'avalai donc la nouvelle sans rien dire, avec un bout de pain pour faire glisser.

Si seulement ce genre de situation me coupait définitivement l'appétit ! Même pas ! J'ai des copines qui perdent cinq kilos au moindre chagrin d'amour. Moi, ça ne risque pas de m'arriver. Je suis triste je mange, je suis gaie je mange, je stresse je mange, je décompresse je mange. Exactement ! Je suis du style qu'il est préférable d'avoir en photo plutôt qu'en pension.

Nous décidons de faire une petite promenade digestive, car il fait très doux ce soir et les pâtisseries sont fermées.

Mais non, je blague ! Je me sens tout à fait capable de résister... si je passe très vite, en courant.

Ce matin je me suis levée très tôt et je suis déjà en train de me précipiter, dans le couloir qui mène à la cure, dans mon beau peignoir blanc. Il faut que je coince la diététicienne avant mon premier soin et je n'ai pas pris rendez-vous.

J'ai du bol, la voilà !

Elle n'a pas beaucoup de temps à me consacrer, mais c'est bien suffisant pour me donner le menu que je convoitais, sous la forme de plusieurs feuilles poly-copiées.

Je la remercie, cours vers les vestiaires, change de peignoir, et arrive in extremis au moment où mon nom retentit. « Mme Bokobza ? » Eh oui, j'utilise mon nom de femme mariée. Je trompe mon monde.

Et me voilà au massage sous affusion, celui que je préfère, vous savez, celui où on joue à la savonnette.

Voilà, c'est fait, je me transforme en chaise longue et je vous explique.

Un rapide coup d'œil me confirme que, tout au long de la semaine, le petit déjeuner reste le même. Pour le reste des repas, je vous rappelle ce qui a été dit et redit au long de cette cure : selon les semaines que vous aurez déjà faites, vous aurez droit à cent ou cent vingt grammes de viande à chaque repas, et entre cent et cent cinquante grammes de poisson. Donc je ne le repréciserai pas à chaque recette. Ne me rendez pas responsable de vos écarts !

PETIT DÉJEUNER DE LA SEMAINE : INVARIABLE

- 30 g de pain complet.
- 5 g de beurre ou 30 g de confiture.
- 1 laitage à 0 % (yaourt ou fromage blanc).
- Thé ou café. Retire ta main du sucrier...

LE LUNDI

Déjeuner
- Salade niçoise.
- Filet de daurade au safran.
- Haricots verts.
- Yaourt aux fruits.

Dîner
- Asperges à la vinaigrette.
- Mignon de veau poché à la sauge.
- Gratin de courgettes.
- Salade de mangue.

FILET DE DAURADE AU SAFRAN

Très simple à réaliser et facile à adapter à tous les poissons.

Pour 2 personnes
- 2 filets de daurade de 150 g chacun
- Safran
- 4 cuillerées à soupe de fromage blanc 0 %
- Sel et poivre

Vous disposez les filets de daurade dans un plat allant au four. Vous répartissez une pointe de safran et le fromage blanc sur les filets.

Vous salez, vous poivrez et vous couvrez d'une feuille d'aluminium. Vous faites cuire pendant 5 à 10 minutes à four chaud (180 °C, th. 7) et vous dégustez.

Pour ce qui est du veau poché, je vous conseille d'essayer de le faire cuire à la vapeur, toutes les graisses tombent dans l'eau et ça reste très moelleux.

MARDI

Déjeuner
— Champignons émincés sauce au yaourt (maigre bien sûr).
— Rumsteck grillé.
— Haricots et 5 g de beurre.
— Compote d'ananas.

Dîner
— Salade de tomates au basilic.
— Brochette de thon à la coriandre.
— Cocotte de légumes. (Le nom est joli, mais ce sont juste des légumes cuits à la cocotte, à l'eau ou à la vapeur.)
— Compote pommes-fraises.

Vous vous rendez compte, on est à 1 000 Calories et on ne se croirait pas au régime !

On fait juste attention à ne pas dépasser les quantités autorisées, on ne craque pas entre les repas, et le tour est joué.

— T'es marrante, toi ! Il suffit de... À l'aise, Blaise !

dit Diablotin, mais si c'était aussi facile, vous n'en seriez pas là !

— Je n'ai jamais dit que c'était facile, au début, mais puisqu'on nous dit que ça va le devenir, on peut bien se faire violence une quinzaine de jours, quand même.

Qu'est-ce que c'est dans une vie, quinze jours ?

OK ? Je continue.

MERCREDI

Déjeuner
— Œufs mimosa et chiffonnade de laitue.
— Cabillaud sauce persil.
— Salade de fruits au basilic.

Dîner
— Clafoutis aux tomates cerises.
— Foie de veau persillé.
— Brocoli à la vapeur.
— Fromage blanc aux fruits.
Je précise.
Pour faire les œufs mimosa, écraser le jaune et le mélanger à de la mayonnaise minceur puis ajouter du persil émincé.

CABILLAUD SAUCE PERSIL

Pour 4 personnes
Vous lavez 4 filets de cabillaud, vous les mettez dans un plat à gratin avec 25 cl de vin blanc sec et du laurier. Vous les couvrez d'eau et les laissez cuire au four 15 minutes. Dans une casserole, vous mélangez : 2 cuillerées à café de moutarde, 2 cuillerées à soupe de jus de citron et 2 yaourts maigres, et vous faites chauffer sans bouillir. Salez, poivrez et ajoutez le persil.
Quand le poisson est cuit, vous le mettez dans un plat de service et vous le nappez de cette délicieuse sauce.

CLAFOUTIS DE TOMATES CERISES

Pour 10/12 personnes
- 250 grammes de tomates cerises
- 40 cl de lait
- 10 cl de crème à 10 %
- 3 œufs
- 1 branche de thym
- Sel et poivre

Coupez les tomates en deux et mettez-les dans des plats à œufs.
Fouettez les œufs, le lait et la crème, salez, poivrez et remplissez les plats.
Ajoutez un peu de thym et faites cuire au four à 180 °C (th. 7) pendant 10 minutes.

Hum ! J'aime bien le mercredi, il y a du foie de veau.

Ça me fait penser à la blague du type tout timide qui arrive en prison. On le met dans une cellule avec un codétenu balèze. Le mec est terrorisé mais le balèze engage la conversation.

— Comment tu t'appelles ?

— Jean.

— Et tu aimes le foot, Jean ?

— Oui, j'aime bien le foot.

— Alors, tu vas adorer le lundi, on a foot le lundi.

Le balèze continue.

— Et tu aimes le volley ?

— Oui, j'aime beaucoup.

— Tu vas adorer le mardi, on a volley. Et tu aimes le ping-pong ?

— Oui, aussi.

— Alors tu vas adorer le mercredi... Et tu es homo ?

— Non !

— Alors tu vas détester le jeudi.

Je ne sais pas si vous aimez les histoires drôles autant que moi. Elles me viennent toujours de façon anarchique, par association d'idées, de mots, ou de situations.

En revanche, j'ai une sainte horreur des dîners qui finissent par une succession d'histoires drôles, comme une joute, où personne n'écoute mais où chacun pense à la prochaine qu'il va sortir, où on ne vous laisse même plus le temps de rire.

Je vois que vous connaissez, vous aussi.

Parmi les blagues, mes favorites sont les très courtes. À l'époque où je tournais *Julie*, avec mon ami Renaud Marx, j'en avais pour ainsi dire fait un sport. Je m'explique.

Renaud a l'incroyable capacité de résister au fou rire. Ce n'est pas qu'il n'aime pas rire, il adore ça et c'est même le premier à raconter des histoires hilarantes, mais il arrive tellement bien à se contrôler que c'en est impressionnant.

Donc moi, aidée de Diablotin, bien sûr, j'avais décidé de le déstabiliser, et pour cela il fallait le surprendre. Je m'étais fait une collection de devinettes et de blagues drôles qui s'énoncent en une phrase et dont la chute tombe comme un couperet. Du genre...

— Tu connais l'histoire de Paf le chien ?

— Non, répond votre interlocuteur.

— C'est un chien qui traverse la route, une voiture arrive et paf le chien !

Ou bien :

— Qu'est-ce qui passe par la tête d'un moustique qui s'écrase contre un pare-brise à 140 kilomètres heure ?

— ...

— Son cul.

Je posais la question au moment où l'on criait « Moteur ! » et je donnais la chute juste avant « Action ! »

Comment ? Non, pas méchante. Coquine !

Renaud ne se privait pas non plus, et on comptait les points. C'était notre « je te tiens, tu me tiens par la barbichette ».

Je l'ai eu bien des fois, comme tous les techniciens qui étaient autour de nous, mais je n'ai jamais gagné à ce petit jeu-là. Je suis bien trop rieuse et incapable de me contrôler. Même quand c'est moi qui raconte, je me fais piéger !

Excusez-moi, je me suis encore laissé distraire, je reprends.

JEUDI

Déjeuner
- Omelette aux fines herbes.
- Papillote de bar aux poivrons doux.
- Endives braisées.
- Compote de pommes.

Dîner
- Bouillon de légumes.
- Côtelettes d'agneau grillées au cumin.
- Méli-mélo de légumes.
- Mousse au café.

Tout est assez facile à faire. Le bar dans une feuille d'aluminium avec un tout petit filet d'huile d'olive, des herbes à votre convenance et les poivrons en lamelles. On ferme, on cuit au four.

Le méli-mélo de légumes doit cuire dans le bouillon que vous mangerez en entrée.

MOUSSE AU CAFÉ

Pour 2 personnes (77 Calories par personne)
- 120 g de fromage blanc 0 %
- 1 cuillerée à soupe de lait écrémé en poudre
- 1 cuillerée à café de café soluble
- 2 blancs d'œufs battus en neige très ferme
- Sucre édulcorant

Fouettez le fromage blanc, l'édulcorant, le lait et le café soluble.
Incorporez délicatement les blancs en neige. Répartissez dans 2 coupes individuelles et faites prendre 3 à 4 heures au réfrigérateur.

Ça ne me semble pas mal du tout, cette petite recette-là !

Pour ceux qui n'aiment pas le café, vous pouvez remplacer par d'autres goûts, en calculant les Calories si vous en avez le courage, mais une cuillerée à café de chocolat à la place du café ne fera pas une très grande différence.

VENDREDI

Déjeuner
- Salade de poivrons grillés.
- Darne de saumon au cresson.
- Carottes Vichy.
- Banane rôtie.

Dîner
- Potage de légumes.
- Poulet basquaise.
- Yaourt aux fruits.

SALADE DE POIVRONS

Pour 2 personnes
- 1 poivron jaune, 1/2 poivron vert, 1/2 poivron rouge
- 1 cuillerée à café d'huile d'olive
- Le jus de 1/2 citron
- 1/2 cuillerée à café de vinaigre balsamique
- Sel et poivre

Vous salez les poivrons, vous les mettez sous le gril du four jusqu'à ce qu'ils noircissent et qu'ils cloquent.
Puis vous les sortez et les mettez dans un sac plastique pour les faire suer.

Vous mélangez dans un bol le jus de citron, le vinaigre, l'huile, un peu de sel et du poivre.
Vous pelez les poivrons et vous les coupez en lanières, vous les mélangez avec la sauce.

Les carottes Vichy, pour ceux qui ne le savent pas encore, ce sont des carottes coupées en fines rondelles que vous faites blanchir dans une cuillerée à café d'huile en faisant bien attention qu'elles ne brûlent pas. Puis vous les couvrez d'eau, les salez et les laissez cuire à feu doux et à moitié couvertes jusqu'à ce que l'eau se soit évaporée. C'est délicieux. Avant de servir, on peut ajouter un peu de crème fraîche légère, mais c'est très bon nature.

POULET BASQUAISE DIÉTÉTIQUE

Pour 4 personnes.
Bien sûr, il se fait sans jambon de Bayonne, alors que la recette doit son nom à cet ingrédient.
- 1 poulet débité en morceaux et sans la peau
- 1 kg de tomates épluchées et épépinées
- 3 carottes épluchées et coupées en petits morceaux
- 2 poivrons coupés en dés
- 2 gousses d'ail
- 1 bouquet garni (thym, laurier, persil)
- Huile, sel et poivre

Vous faites revenir vos morceaux de poulet assaisonnés dans une cocotte antiadhésive légèrement huilée jusqu'à ce qu'ils soient bien grillés.

Vous ajoutez les carottes, les poivrons, les tomates, l'ail haché et le bouquet garni.

Salez, poivrez et laissez cuire 1 heure à couvert et à feu doux.

On va devenir imbattables.

SAMEDI

Déjeuner
- Concombres à la menthe.
- Truite au four en écailles.
- Petits légumes vapeur.
- Panacotta au lait de coco et fruits exotiques.

Dîner
- Velouté de brocoli.
- Côte de veau aux champignons.
- Fromage blanc 0 % aux fruits.

Pour les concombres à la menthe, c'est comme pour les concombres à la crème, mais on remplace la crème par du yaourt. Quoi ? Vous ne savez pas ? Vous voulez vraiment que je vous mâche le boulot. OK !

CONCOMBRES À LA MENTHE

Vous prenez un gros concombre que vous lavez, épépinez et coupez en fines rondelles. Vous lavez et ciselez finement la menthe. Vous mélangez 2 yaourts 0 % avec le jus de 1 citron vert. Vous salez, poivrez et mélangez avec les concombres et la menthe.

À ce propos, vous connaissez l'histoire de la tarte aux concombres ? Un jour, un petit enfant entre dans la boulangerie à côté de son école.

— Bonjour, madame, vous avez de la tarte aux concombres ?

— Non, mon petit, répond la boulangère, nous n'en avons pas.

Le lendemain, le petit revient avec dix copains

— Bonjour, madame, vous avez de la tarte aux concombres ?

— Non, mes enfants, nous n'en avons pas, redit la boulangère.

Le lendemain, ils sont cinquante qui l'accompagnent dans la boutique et posent la même question.

— Désolée, nous n'en avons pas, répond encore une fois la boulangère.

Le soir venu, elle explique la situation à son mari, qui, flairant l'aubaine, prépare cent tartes aux concombres pour le lendemain.

Le lendemain, effectivement, le petit revient avec une centaine d'enfants et demande :

— Est-ce que vous avez de la tarte aux concombres ?

La boulangère, tout sourire, répond :

— Oui, j'en ai plein.

Et le petit garçon lui dit :

— Eh bien, c'est pas bon.

LA TRUITE EN ÉCAILLES

Elle doit son nom, elle, aux fines tranches de tomate que l'on place comme des écailles sur les filets de truite qu'on aura prélevés et dont on aura ôté la peau.

Mettez un peu d'eau au fond du plat, assaisonnez, ajoutez une goutte d'huile d'olive et mettez au four 10 minutes.

La tomate va protéger la chair et la nourrir de sa saveur.

Et maintenant, le clou du spectacle. Attention ! C'est « The dessert of the semaine ». Il est un peu calorique, mais on peut se le permettre, le reste du repas est hyper léger.

Vous êtes prêts ? À vos fouets, marmitons ! Vous vous léchez déjà les babines ? Moi aussi !

PANACOTTA AU LAIT DE COCO
ET AUX FRUITS EXOTIQUES

Pour huit personnes (190 Calories par personne)
- 30 cl de lait de coco
- 6 feuilles de gélatine
- 300 g de fromage blanc 0 % (on va finir par acheter une laiterie)
- 150 g de crème fouettée
- 50 g de sucre semoule (hé oui, encore du vrai sucre ! Ça fait même pas 6,5 g par personne, c'est pas trop grave.)
- Des fruits exotiques (ananas, kiwi, litchis, mangue, carambole...)

Faites légèrement chauffer le lait de coco et le sucre, et ajoutez-y la gélatine préalablement ramollie dans un peu d'eau froide.
Incorporez le fromage blanc et laissez refroidir en remuant régulièrement. Lorsque ça commence à prendre en gelée, incorporez délicatement la crème fouettée.
Versez dans des ramequins et laissez au frais.
Laver et coupez les fruits en petits dés et disposez-les sur la panacotta.

Vous allez en étonner plus d'un. Franchement, vous auriez honte d'inviter des potes à dîner avec un menu pareil ?

Moi pas.

DIMANCHE

Déjeuner
- Salade de fonds d'artichaut.
- Brochette de canard mariné.
- Légumes sautés à la chinoise.
- 1/2 mangue.

Dîner
- Velouté de poireaux.
- Lomo de thon rouge aux épices thaï.
- Mousse de yaourt aux fraises gariguettes.

BROCHETTES DE CANARD MARINÉ

Pour 2 personnes (environ 180 Calories par personne)
Il faut les préparer à l'avance.
Dans un saladier, vous faites la marinade avec 1/2 piment vert dont vous avez retiré les graines et que vous avez passé au mixeur avec 1/2 gousse d'ail, quelques oignons nouveaux, le zeste de 1 citron et 1 bouquet de menthe. Vous arrosez le tout avec le jus du citron et 1/2 yaourt nature, vous salez et vous poivrez.
Vous coupez en dés 250 g de filets de canard et vous les mettez à mariner dans cette préparation pendant 2 heures minimum, le plat recouvert d'un film alimentaire.
Au moment de passer à table, vous enfilez les morceaux de canard sur des piques à brochettes et vous les faites griller 8 à 10 minutes en les retournant régulièrement.

Et en garniture, faisons preuve d'un peu d'imagination...

LÉGUMES SAUTÉS À LA CHINOISE

Pour 2 personnes (environ 102 Calories par personne)
- 100 g de germes de soja
- 125 g de chou blanc
- 100 g de carottes coupées en fines lamelles
- 75 g de blanc de poireau
- 50 g de champignons frais
- 1/2 oignon émincé
- 1 cm environ de gingembre frais râpé
- 12,5 cl de bouillon de légumes
- 1 cuillerée à café de Maïzena délayée avec un peu d'eau
- 1 cuillerée 1/2 de sauce soja
- 1 cuillerée à café d'huile

Vous faites revenir l'oignon émincé, l'ail et le gingembre dans un wok. (C'est une grande poêle chinoise, avec des bords hauts et évasés. On en trouve partout et c'est vraiment génial, pour cuire les légumes ou plein de petites recettes pas grasses.)

Vous ajoutez les légumes finement émincés (sauf le soja, qu'on mettra à la fin) et vous laissez colorer. Puis vous versez sur les légumes le bouillon de légumes et la sauce soja. Vous portez à ébullition et vous mettez la Maïzena diluée, pour lier la sauce.

À la dernière minute, vous ajoutez les germes de soja et laissez chauffer quelques secondes.

Pour le velouté de poireaux, pour deux personnes, faites revenir dans une cocotte des oignons et des poireaux coupés en morceaux avec 1 cuillerée à café d'huile.

Couvrez d'eau et laissez cuire une vingtaine de minutes. Puis mixez directement dans la cocotte.

Vous pouvez ajouter un peu de crème fraîche légère à 15 % (1 cuillerée à café = 35 Calories).

LOMO DE THON ROUGE

Pour 4 personnes (150 Calories par personne)
- 400 g de thon
- 2 cuillerées à soupe d'épices thaï
- Sel et poivre

Pour la sauce
- 1 cuillerée à soupe de citron confit
- 1/2 oignon rouge
- 150 g de poivron jaune, rouge et vert
- 2 tomates
- 1 cuillerée à soupe de coriandre fraîche ciselée
- Sel et poivre

Vous préparez d'abord la sauce : vous coupez tous les ingrédients en petits cubes, vous les faites saisir en les mélangeant vigoureusement quelques instants, vous ajoutez la coriandre et vous assaisonnez.

Puis vous taillez le thon en bandes cylindriques de 4 cm de diamètre. Vous les faites colorer dans une poêle

---

antiadhésive badigeonnée d'huile d'olive 2 minutes sur chaque face. Vous salez, vous poivrez, puis vous parsemez généreusement d'épices.

Servez le thon mi-cuit, coupé en tronçons, sur un lit de sauce.

Si vous voulez faire vos citrons confits vous-mêmes, rien de plus simple. Il faut faire bouillir vos citrons trois fois en changeant l'eau à chaque fois, et la troisième fois les laisser cuire dans l'eau salée avec du romarin, du thym et du laurier.

Et maintenant, roulement de tambour pour le dessert !

MOUSSE AU YAOURT AUX FRAISES GARIGUETTES

Pour 6 personnes (140 Calories par personne)
- 5 cl de lait
- 5 feuilles de gélatine
- 50 g de sucre (du vrai)
- 4 yaourts bulgares
- 200 g de crème fouettée (légère bien sûr)
- 150 g de fraises gariguettes
- 1 cuillerée à café de zeste de citron confit (ça tombe bien on vient d'en faire !)

Trempez les feuilles de gélatine 1 minute dans l'eau froide et égouttez-les.

Faites chauffer légèrement le lait et le sucre et ajoutez-y la gélatine en fouettant bien, puis versez la préparation dans un grand bol et mettez-la au frais.

Lavez, équeutez et coupez les fraises en deux dans la hauteur.

Quand la préparation dans le bol commence à prendre en gelée, ajoutez-y délicatement, avec une spatule souple, les yaourts, la crème fouettée, les zestes de citron et les fraises.

Versez dans 6 ramequins ou des cercles à bavarois et laissez au frais 2 heures minimum avant de servir.

Le thon faisant 150 Calories par personne et la mousse de fraises 140, pas de quoi se priver.

Voilà une semaine bien remplie, pleine d'idées. Reste plus qu'à..., comme on dit.

Si on fait un petit bilan, on remarque qu'il y a tous les jours de la viande et du poisson.

*Prenez l'habitude de faire vos menus
pour la semaine.*

Ça évite d'être pris de court et de se jeter sur n'importe quoi faute de mieux. Je ne sais pas ce que vous en pensez, mais moi dès que je rentre, je m'y mets.

En plus, la plupart des recettes se font en deux temps trois mouvements.

– XI –

LES IDÉES REÇUES : VRAI OU FAUX ?

Ce midi, il y a de l'ambiance autour de notre table. D'autres femmes se sont jointes à nous. Nous affichons complet. Nous débordons même. Et ça piaille dans tous les sens.

Patricia est arrivée en retard et nous avoue qu'elle a craqué : elle s'est pesée.

— Alors ?

— Moins cinq kilos, s'écrie-t-elle, victorieuse.

Hourra ! Tout le monde la congratule, on se croirait à la Star Ac.

Cinq kilos en quinze jours, c'est énorme !

Et comme il lui reste une semaine, elle a bon espoir d'atteindre les huit qu'elle s'était fixés.

Si elle y est arrivée, nous y arriverons aussi. Son succès, c'est notre succès, et nous allons fêter ça : champagne !

Pourquoi vous me regardez comme ça ?

Bon, d'accord ! Je me suis trompée, ça peut arriver. Eau plate pour tout le monde ! C'est ma tournée.

Dit sur le même ton enjoué, ça peut passer.

Tout le repas tourne autour de ce sujet.

On veut savoir si ce qu'a fait Patricia correspond à ce que nous faisons. Est-ce que, nous aussi, nous avons des chances de perdre autant ?

Patricia bouge plus que beaucoup d'entre nous. Elle court tous les jours une heure sur le tapis, mais elle ne sort pas pour aller marcher. Elle mange des féculents et du pain à tous les repas.

— C'est mauvais, ça, comme association. Il ne faut pas le faire, balance Sylvie.

— Et pourquoi ? La diététicienne m'y a autorisée et, apparemment, ça ne donne pas de si mauvais résultats.

Le ton monte.

— Oh là ! Vous n'allez pas vous disputer ! Moi je ne sais pas qui a raison ou qui a tort, mais sur le tableau, j'ai vu que justement cet après-midi se tient vers 16 heures une conférence sur l'alimentation et les idées reçues. On devrait y aller.

Personne ne peut ?

C'est donc moi qui m'y colle. J'avais prévu de faire une grande balade avec Dorine. Je vais l'écourter d'une heure, ce qui arrange ma copine, car elle déteste marcher et de ce fait a l'assurance que nous ne nous éterniserons pas.

Il y a foule quand j'arrive dans la salle.

La conférence se déroule sous forme de test d'évaluation de nos connaissances. Nous devons répondre par vrai ou faux à des affirmations. Et la réponse nous est donnée dans les corrections. Vous jouez avec moi ? On ne va pas les faire toutes, car il y en a des hyper simples sur des sujets qu'on a déjà abordés, et je suis sûre que, comme moi, vous connaissez les réponses. On va s'occuper de celles dont on n'est pas certaines, comme...

IL N'Y A AUCUN INTERDIT ALIMENTAIRE LORSQUE L'ON VEUT MAIGRIR

Alors, c'est vrai ou c'est faux ?

Oui, je vais vous donnez la réponse, mais ne trichez pas, répondez honnêtement.

Ça y est ? Eh bien, c'est vrai !

À moyen terme, on perd autant de poids qu'avec un régime très restrictif et très pauvre en Calories. À long terme, on perdra plus de poids, en préservant la masse maigre et en réduisant les risques de reprise.

Les régimes basses Calories non personnalisés en fonction de la morphologie, de l'activité professionnelle, des dépenses d'énergie et des goûts de chacun peuvent entraîner :

— un affaiblissement du métabolisme de base (ça, on le savait) ;

— une augmentation du risque de carence ;

— une trop grande frustration, qui peut faire apparaître des comportements compulsifs dirigés vers les aliments interdits.

Attention, quand on parle d'interdits alimentaires, cela veut dire qu'aucun aliment n'est interdit, mais dans la limite des quantités prescrites et autorisées. Ne me faites pas dire ce que je n'ai pas dit.

IL FAUT MANGER PLUS LÉGER LE SOIR QU'À MIDI

C'est faux ! Je vous en bouche un coin, non ?

Moi, j'ai répondu vrai. J'ai toujours entendu dire que le petit déjeuner devait être un repas de roi, le déjeuner un repas de seigneur et le dîner un repas de pauvre. Il n'en est rien. L'important est d'équilibrer ses apports et ses dépenses d'énergie sur la journée.

On continue de dépenser de l'énergie même au repos, donc les aliments ne sont pas plus stockés la nuit que le jour.

En gros, la répartition des repas devrait se faire comme suit :

— 15 à 20 % de l'apport énergétique total au petit déjeuner ;

— 40 % au déjeuner ;

— 5 à 10 % sous forme de collation ;

— 35 % au dîner.

Bien sûr, tout cela s'adapte en fonction du mode de vie. L'important, c'est d'éviter les fringales et les grignotages et de se sentir bien.

IL Y A DES HUILES PLUS GRASSES QUE D'AUTRES

Alors ?... Alors ? Moi, je dis faux. Et c'est... faux. Gagné !
Toutes les huiles contiennent 100 % de matières grasses. Elles se distinguent par leur teneur en vitamines E et en acides gras, et c'est pour cela qu'il est important de les varier.

UN LAITAGE TYPE FJORD OU CRÈME DE YAOURT À 5 % EST MOINS GRAS QU'UN FROMAGE À 20 %

Je sens qu'il vous faut un peu plus de temps pour bien relire.
C'est totalement faux, tout simplement parce que les matières grasses du fromage blanc sont calculées sur son extrait sec, ce qui fait que cent grammes de fromage blanc à 20 % ne contiennent en fait que trois grammes de matières grasses.
Alors que les matières grasses des produits laitiers cités ici sont calculées sur le produit fini et représentent environ deux fois plus de matières grasses qu'un fromage blanc à 20 %.

207

Quel attrape-couillon ! Ils ne pourraient pas compter tous pareil ?

IL EST CONSEILLÉ D'ÉVITER L'ASSOCIATION PAIN/FÉCULENTS

Moi je penche pour faux si on ne dépasse pas les doses, même si ma grand-mère nous disait de ne pas manger de pain avec nos pâtes.

Et c'est faux. Effectivement, ils appartiennent à la même famille et, si on respecte la quantité journalière incluse dans le programme alimentaire, on peut manger les deux ensemble ou séparément.

Il faut savoir que 50 g de pain blanc = 40 g de féculents crus.

Et que 40 g de pain blanc = 100 g de féculents cuits.

C'est Patricia qui avait raison. Elle va être contente. Ce soir, je vais leur refaire le test, on va bien rigoler.

ON PEUT BOIRE EN MANGEANT

Bien sûr, c'est vrai, et c'est même conseillé car, en dehors du fait que ça aide à absorber le litre et demi conseillé par jour, cela ménage des pauses pendant le repas et force à manger moins vite.

Mais, attention, là aussi, pas d'excès. Il ne faut pas boire après chaque bouchée. L'eau n'est pas faite pour aider à faire descendre le repas et ne remplace pas la mastication.

IL VAUT MIEUX MANGER UN YAOURT QUE DU CHOCOLAT, MÊME SI ON A ENVIE DE CHOCOLAT

On en sait suffisamment maintenant pour pouvoir y répondre, non ?

Allez, un indice. C'était inclus dans l'affirmation concernant les aliments interdits. Ça parlait de frustration... Voilà, vous y êtes ! C'est faux, bien sûr. Il vaut mieux craquer pour un ou deux petits carrés de chocolat si on en a envie plutôt que de les remplacer par un yaourt au risque de craquer doublement quelques minutes plus tard.

Mieux vaut satisfaire ses envies, toujours dans la limite du raisonnable.

LA VIANDE NE FAIT PAS GROSSIR SI ON LA MANGE GRILLÉE

C'est faux.

Une viande grasse, qu'elle soit grillée ou non, apportera toujours la même quantité de lipides. Il faut donc choisir sa viande parmi les plus maigres.

IL SUFFIT DE COMPTER SES CALORIES SI ON VEUT MAIGRIR

Mais non, c'est totalement faux et c'est toujours la même rengaine : l'équilibre alimentaire.

209

Alors vous, si on vous dit 1 500 Calories par jour, vous allez vous enfiler 15 cuillerées à soupe d'huile d'olive, et puis c'est tout ?

Bonjour la variété !

En dehors du fait que je ne vous donne pas une journée avant d'être malades, je pense que vous allez rapido vous transformer en bonbonnes. Non, pas en bobonnes ! Quoique...

Rien que d'y penser, je me sens mal.

On nous le rabâche depuis le début, ce qui est important, ce n'est pas seulement la valeur énergétique de l'aliment, mais ses composants et comment l'organisme va les utiliser.

La question suivante nous concerne directement ; lisez plutôt...

SI JE SUIS LE PROGRAMME D'UNE AMIE QUI A MAIGRI, JE VAIS MAIGRIR

Comme je m'y attendais, c'est faux.

Mais vous le savez bien, vous aussi, je n'arrête pas de vous le dire.

Les causes de la prise de poids ne sont pas les mêmes pour tout le monde, comme ne sont pas identiques les besoins énergétiques, les habitudes alimentaires et les goûts de chacun. Pour bien réussir la perte de poids et la stabilisation, chaque programme alimentaire doit être personnalisé.

Donc, le mieux, c'est de se faire aider par un médecin nutritionniste qui va définir tous les critères de base.

Je passe les autres affirmations trop faciles pour vous comme pour moi, du style : si on mange vite, on a moins faim ; le lait de vache est un poison pour l'organisme adulte ; si on ne mange que des protéines, on maigrit ; si je saute un repas, je maigrirai plus vite ; la cellulite et les kilos en trop, c'est pareil ; si je veux réussir mon amaigrissement, je dois refuser les invitations ; il est déconseillé de manger des fruits à certains moments de la journée ; si je fais plus de trois repas par jour, je ne pourrai pas perdre de poids...

Tout est faux, archifaux. Oubliez.

Vous avez besoin de quelques précisions sur la cellulite ? Eh bien, je confirme : ce n'est pas la même chose que les kilos en trop. Elle s'atténue quand on reprend une activité physique régulière, qu'on se masse et qu'on rééquilibre son alimentation, mais cela ne veut pas dire que le poids diminue.

J'ai connu des filles très minces qui avaient plus de cellulite que moi.

Pour ce qui est de prendre plus de trois repas par jour, on en a déjà parlé. Vous pouvez, quand l'espace entre deux repas est trop long, prévoir une ou deux collations dans la journée. Il faudra juste qu'elles soient programmées et organisées en quantité et en qualité définies. Il ne faut pas que cela devienne du grignotage à n'importe quel moment de la journée.

Et pour les fruits, c'est une vieille histoire, mais sachez que, dans la limite de deux à quatre fruits par jour et si bien sûr vous n'êtes pas diabétique, vous pouvez les consommer en début ou en fin de repas ou de collation, cela ne vous fera aucun mal.

C'est bon, plus de questions ?

Je vais les mettre au propre pour mes petites camarades et ce soir, après le dîner, j'organise un grand jeu.

Elles ne sont pas toutes au top, les copines. Il y a du boulot. Et il y en a même qui, malgré les corrections à leurs réponses, continuent à soutenir mordicus que leur version est la bonne. Allez vous étonner, après, que les idées reçues aient la vie dure !

Je ne vais pas me battre pour leur faire comprendre. Si elles ne veulent pas, c'est leur problème. Je n'ai pas envie que ça tourne au vinaigre.

Parlons de notre programme de demain.

Alors, en dehors d'Isabelle, puisque Véronique a déclaré forfait, qui vient dans le parc de la Vanoise ?

Patricia, Dorine et puis ?... C'est tout !

On est quatre. C'est bien, on ne prendra qu'une voiture. Allez ! On se retrouve à 10 heures dans le hall et on n'oublie pas son pique-nique.

– XII –

LES BIENFAITS DE LA NATURE :
RESPECT, S'IL VOUS PLAÎT !

Dix heures trente déjà ! Mais qu'est-ce qu'elles foutent ?

D'accord, il bruine, mais il ne neige pas non plus, et puis la météo annonce une belle journée. Je suis convaincue que le beau temps va se lever.

Isabelle ne répond pas sur son mobile, et Patricia et Dorine ne sont pas dans leurs chambres. J'attends encore une demi-heure en lisant les journaux et, si elles n'arrivent pas, je vais me balader toute seule.

— Véro ! me crie un peignoir blanc en haut de la volée de marches qui mène au couloir de la cure.

C'est Patricia.

— Mais qu'est-ce que tu fais dans cette tenue ? Je vous attends, moi.

— J'ai vu Dorine ce matin, elle ne vient pas, elle est partie nager. Alors je me suis dit qu'avec ce temps personne ne voudrait y aller.

Sur ces mots, la courageuse Isabelle fait son entrée.

— Je vois que je ne suis pas trop en retard, dit-elle en apercevant Patricia en peignoir.

Nous décidons d'y aller toutes les deux, mais Patricia tient à se joindre à nous.

— D'accord, on t'attend mais tu te transformes en Lucky Luke et tu t'habilles plus vite que ton ombre.

Elle s'exécute. Finalement, nous sommes trois, et bonnes marcheuses.

On m'a dit tant de choses sur cet endroit, j'ai à la fois hâte d'y être et peur d'être déçue.

Isabelle a sorti sa voiture, donc, nous la prendrons, c'est moi qui conduis. Je suis une spécialiste de la montagne et puis, avec les autres, j'ai peur.

En fait j'ai le vertige. En conduisant aussi, mais j'ai l'impression de pouvoir contrôler mon destin.

La première fois que j'ai mis un nom sur cette sensation étrange, c'était avec mon père au musée de l'Homme. Je devais avoir six ans et j'étais en train de monter les grandes marches de la salle principale pour voir le dinosaure d'en haut quand je me suis trouvée comme paralysée et attirée par le vide. Mes jambes se sont dérobées sous moi, mon cœur a voulu sortir de ma poitrine comme dans des montagnes russes, et mon sang s'est glacé. Je me suis assise sur les marches pour ne pas tomber. Alors mon père m'a prise dans ses bras et m'a calmée en me disant « C'est rien, c'est le vertige ».

C'est peut-être rien, mais c'est handicapant.

Il m'est arrivé bon nombre de fois d'être attachée dans le vide ou de devoir m'approcher du bord d'un toit durant des tournages, et je vous jure qu'il n'est pas facile de lutter contre cette angoisse tout en jouant la comédie.

En plus, je ressens la même chose quand quelqu'un d'autre s'approche du vide. Je ne peux pas le regarder ni même l'imaginer. Je suis tétanisée et serais bien inapte à secourir qui que ce soit.

Le seul acte de bravoure dont je sois capable, c'est de m'asseoir par terre et de crier au secours, ce qui, vous l'admettrez, n'a de valeur que si la personne à secourir est muette.

Alors, me direz-vous, pourquoi est-ce que je vais me promener dans la montagne ?

Parce que c'est beau et que j'ai décidé de lutter.

Et puis, j'aime la montagne et le ski.

Un endroit que j'affectionnais tout particulièrement, c'était le festival du film fantastique d'Avoriaz. J'aimerais pouvoir dire « que j'affectionne », mais il n'existe plus, en tout cas pas là-bas.

Il y régnait une ambiance extraordinaire.

Le fait qu'il n'y ait ni route ni voiture imposait à chacun une tenue sportive qui nous rapprochait les uns des autres. Les films qu'on y passait nous faisaient si peur qu'ils nous incitaient à nous regrouper pour échapper aux blagues gore que les distributeurs avaient mises sur pied au sortir des salles de projection.

La journée nous partions skier en bande. Je me rappelle une piste terrible. Elle sillonnait la crête de la montagne et, quand vous étiez dessus, vous aviez le sentiment d'être sur un grand ruban blanc flottant dans le ciel.

À droite le vide, à gauche le vide. Partout où je posais les yeux, mon cœur s'envolait. À chaque virage je me sentais happée par l'immensité. Ma seule issue : regarder le bout de mes spatules et rester le plus au centre possible. Un calvaire.

Moi qui étais montée jusque-là avec quelques amis en vue de m'entraîner pour le slalom des personnalités, je terminais généralement cette piste en chasse-neige, assise sur l'arrière de mes skis, mais heureuse. Et s'il fallait recommencer, je recommençais. Pour rien au monde je n'aurais cédé ma place.

Je dois aimer avoir peur.

Cette petite dose d'adrénaline qui exacerbe les sentiments, qui fait battre le cœur et que certains appellent le trac peut s'apparenter au vertige. Et comme lui, on peut l'apprivoiser.

C'est tellement excitant !

Je suis contente d'avoir pris le volant car la route monte sec et serpente à flanc de montagne au-dessus d'un abîme sans fond.

Pour la montée, ça va, c'est pas le pire, et mes

yeux sont rivés à la route. C'est la descente qui va être dure !

Je m'accroche à l'idée qu'à ce moment-là nous serons du côté de la montagne, donc moins exposées au vide.

Il a intérêt à être beau le paysage, sinon...

Voilà Champagny-le-Bas, un petit village qui ne casse pas trois pattes à un canard, puis Champagny-le-Haut.

La route continue, je continue. On m'a bien dit : tout au bout de la route. Tant que je vois du bitume, j'avance. Donc, j'avance. Un virage, deux virages... Stop !

Non, je ne suis pas arrivée. Non, ce n'est pas une panne d'essence.

C'est que ce que je vois est d'une telle beauté que je suis obligée de m'arrêter, comme saisie, le souffle coupé.

Je ne sais pas comment vous vous imaginez le jardin d'Éden, mais moi c'est l'idée que j'en ai. Pour peu, je verrais bien un lion et un agneau côte à côte allant se désaltérer tranquillement entre potes dans l'eau du torrent qui dévale en cascade de la montagne.

C'est féerique. Je croyais qu'il n'y avait que dans les dessins animés que l'on pouvait encore voir des paysages pareils. Eh bien, non, le paradis existe et il est à deux pas de chez vous, en France.

Nous reprenons nos esprits avec peine et continuons la route à travers cette vallée verte encaissée entre deux montagnes. Plus nous avançons, plus c'est majestueux.

Nous traversons quelques petits villages.

Soudain, la route décide de traverser le torrent sur un joli pont de bois.

La pluie recommence à tomber mais rien ne peut nous décourager. Nous sommes bien équipées et nous ne sommes pas en sucre.

Ça y est ! C'est le bout du chemin. Et ce bout du monde est... un grand parking.

Eh oui ! Il ne faut pas se leurrer, nous ne sommes pas les premiers ni les seuls à venir jusqu'ici.

J'imagine le plaisir que cela devait être pour les explorateurs de découvrir des espaces encore jamais foulés par l'homme. Ici, il ne s'est pas seulement contenté de les fouler, il les a balisés de toute part. Promenade du Bidule, chemin du Chose. Je déteste ce besoin de tout nommer, de tout agencer.

Mais que cela ne nous gâche pas notre journée.

Nous hésitons encore un peu sur le choix de la promenade. Il y a deux possibilités : vers la cascade ou vers le glacier.

Renseignements pris auprès du seul villageois présent, vers la cascade, c'est deux heures de marche aller-retour, le sentier est très abrupt, mais il paraît que nos chances de voir des marmottes et des bouquetins sont certaines. Vers le refuge avant le glacier, c'est quatre heures de marche, mais la vue y est magnifique et finalement on a autant de chances d'y croiser nos amies les bêtes.

On n'est pas en Suisse mais l'esprit y est.

Ça me rappelle l'arrivée en gare de Strasbourg quand j'étais petite. À l'ouverture des portes, une voix annonçait avec un fort accent alsacien : « Strasbourg, Strasbourg, tout le monde descend. Les voyageurs munis de gros bagages passent par la grande porte, et les voyageurs munis de petits bagages passent aussi par la grande porte. »

Nous nous laissons le temps de la réflexion en déballant nos paniers repas à l'abri du refuge.

Alors, voyons de quoi se compose notre déjeuner...

Une salade de carottes râpées, une cuisse de poulet, un œuf dur, un morceau de pain, un bout de fromage et un fruit. Nous avons pris une banane et une pomme supplémentaires chacune pour la petite fringale de l'après-midi.

C'est sûr, cela n'a rien à voir avec les plats de lapin en gelée, d'œufs mayo et de charcuterie que nous sortait ma grand-mère lors du pique-nique dominical, mais nous saurons nous en contenter.

Et même, vous me croirez ou non, mais je n'arrive pas à finir. Le poulet froid, c'est bourratif, et je décide de garder mon pain et mon fromage pour l'en-cas que je dégusterai au refuge du haut.

Nous avons bien fait de nous obstiner, car le ciel vient de se déchirer et un magnifique soleil nous lèche le visage au travers des carreaux.

De plus, nous avons le sentiment d'être seules au monde, le mauvais temps ayant découragé les autres amateurs qui, paraît-il, se bousculent sur les chemins les week-ends de beau temps. Je charrie peut-être un peu, ce n'est quand même pas les Champs-Élysées le dimanche... En tout cas, aujourd'hui, c'est le désert et c'est tant mieux.

Il est temps de partir et nous choisissons le glacier.

Nous marchons d'un bon pas et nous délestons au fur et à mesure des couches de pulls et du coupe-vent enfilés avant le départ.

Très vite nous sommes en eau. On ne m'avait pas dit que mon pantalon se transformait en sudisette par temps chaud.

Nous montons, nous montons... Avec un point de vue extraordinaire sur la vallée. Je sais, je me répète, mais je ne trouve pas assez de superlatifs pour exprimer ce que je ressens.

En grec, il y a un mot que j'aime énormément parce que sa sonorité est très sensuelle, c'est *cataplyctico*. Il ne s'écrit pas comme ça et d'ailleurs, il ne s'écrit pas en français puisque c'est du grec. Il veut dire magnifique, mais il tient du cataclysme en même temps, donc ça doit être encore mieux.

Ou alors, si vous préférez, on peut tenter Supercalifragilisticespialidolcious. En tant que Mary Poppins, je peux tout me permettre.

On vient en effet de sauter dans un des plus magnifiques paysages qu'il m'ait été donné de voir.

— Faut dire que tu sors pas beaucoup, se moque gentiment Angelot.

— T'es gonflé ! Je suis allée un peu partout en Europe, et aussi aux États-Unis, et puis en Inde et au Mexique.

C'est vrai que je ne connais pas bien les Alpes en dehors des stations de ski, mais quand j'étais plus jeune, il m'arrivait d'aller, l'été, chez mon oncle à La Clusaz. Et je n'ai souvenir de rien de semblable.

« Chut », me fait comprendre Patricia en me saisissant le bras fermement.

Qu'est-ce qu'il y a, je te soûle ? Tu n'arrives pas à entendre le bruit du torrent ?

Le doigt tendu, elle me montre...

— Une marmotte, articule-t-elle, très fort et sans bruit.

Où ça ? Je ne vois rien. Ça y est, elle se prend pour Jeanne d'Arc ! Elle a tellement rêvé d'en voir...

— On marche depuis seulement quinze minutes, à mon avis, si on en croise, ce sera bien plus haut, lui dis-je gentiment.

Je me demande si je saurai les repérer, je n'en ai jamais admiré en vrai, et quand nous nous promenions dans les Vosges avec mes parents, j'étais toujours la dernière à voir le chevreuil allongé sous mon nez.

De nouveau, la main de Patricia me force au silence. Elle persiste. Isabelle a vu aussi, d'accord, je regarde mieux.

Ah, mais oui ! Deux petites marmottes se prélassent au soleil sur un rocher, tellement immobiles qu'elles s'y fondent. Elles nous tournent le dos et ne nous ont pas vues ni senties.

Soudain, un sifflement aigu les fait se redresser.

C'est une de leurs copines qui nous a repérées et donne l'alerte. Nos deux commères rentrent fissa dans leurs terriers, et je sens bien qu'à leur tour elles nous observent.

Je suis tout émue. Je n'ai même pas pensé à sortir mon appareil photo.

J'espère qu'on en verra d'autres.

Nous reprenons notre marche tonique vers le sommet, enfin je veux dire vers « notre » sommet, parce qu'on va quand même pas se faire la chaîne des Alpes avec son mont Blanc à 4 810 mètres. En passant, vous avez vu comme je suis bien renseignée, ils nous l'ont revu à la hausse. Combien il faisait avant ? Enfin... Mais 4 807 mètres, ne me dites pas que vous avez oublié !

C'est un peu comme les prix, au fond, le mont Blanc s'est dit : « Pourquoi pas moi ? » Et il a pris de l'altitude.

Une autre ! Et c'est moi qui l'ai vue, celle-là. Maintenant que j'ai pris le coup d'œil, je n'en raterai plus une.

Elle est face à nous, sur un rocher entre deux lacets de la route. Je choisis de couper vers elle, tandis que Patricia et Isabelle continuent leur chemin pour faire diversion.

J'avance à pas comptés, je voudrais pouvoir la photographier de tout près. Mais je ne suis pas encore aussi

légère qu'un elfe, elle m'a repérée, me regarde un instant pendant que je la photographie (merci pour la
pose) et disparaît en un clin d'œil.

Je continue mon escalade et arrive sur le chemin pratiquement en même temps que mes deux comparses.

Je ne suis pas peu fière de moi. Pas tant d'avoir pho-
tographié l'animal, car j'aurais pu aussi bien faire avec
un zoom, que d'avoir franchi ce passage ma foi très
raide. Il y a une semaine, j'en aurais été bien incapable.
Je n'ai pas retrouvé mes dix ans mais presque. J'ai le
cœur léger.

Nous sommes bien d'accord toutes les trois, nous
avons rapidement retrouvé une énergie et un moral
d'acier.

On s'assoit pour boire un coup et se remplir les yeux
à s'en soûler.

Seule sur le flanc de cette montagne, ou presque, je
ne peux m'empêcher de penser au sens de la vie.

Après quoi passons-nous notre temps à courir et
pourquoi ?

Ici, tout semble si évident, le temps suit son calme
chemin, minute après minute.

On se laisserait bien tenter par un retour aux sources.
Une vie calme, faite de petits riens, de balades journa-
lières, de communion avec la nature. Une petite maison
dans la montagne...

– Non, pas dans la prairie, Angelot, laisse-moi rêver un peu. Ça y est, tu as coupé mon élan.

Mais en fait tu as raison, à chaque fois c'est pareil, je me laisse emporter par mon enthousiasme mais je sais au fond de moi que je suis incapable de quitter la capitale. Je suis un sirop de la rue, j'aime la foule, parler avec les gens, vivre vite. Je sais bien que je ne peux ressentir cette plénitude, à l'instant présent, ici, que parce que j'ai une vie trépidante à côté.

D'ailleurs, si la vie y était aussi idyllique, pourquoi les jeunes déserteraient-ils la campagne ? Parce qu'il n'y a pas de boulot ? Il est certain, pourtant, que si tout le monde va vers les villes il y en aura encore moins.

Non, je ne pense pas que ce soit l'unique raison. Il y en a une autre : le fait que tout se passe à Paris et dans quelques autres grandes villes. Il est normal que les jeunes aient envie de vivre ce qu'on leur montre à la télé. Chacun désire tenter sa chance. Moi-même je l'ai fait. Sauf qu'aujourd'hui la vie en ville est encore plus difficile et que, si tu n'as pas d'argent, Paris est invivable.

– Arrête, on croirait entendre tes aïeux ! se moque diablotin.

– Mais c'est vrai, non ?

– Tout est relatif ! Tu te souviens, quand tu es arrivée, tu logeais dans une chambre de bonne de ta grand-mère, et quand tu as voulu déménager tu as cherché un petit studio ou un appartement à partager avec une copine. Tu n'as pas trouvé parce que c'était trop cher.

— Oui, c'est exact, mais disons que, quand on a la vie devant soi, on a l'impression qu'on va finir par y arriver, que rien n'est impossible. On a l'espoir.

L'espoir ! C'est ça qui nous a quittés. À force de s'entendre dire que tout va mal, que notre avenir est bouché, qu'il n'y a plus de travail, les gens ont fini par y croire et sont entrés dans une période de déprime. Et la déprime entraînant la déprime, il n'y a plus d'espoir, alors que seul l'espoir fait vivre. On le sait bien, dans mon métier où les jours ne sont pas toujours roses, que demain tout peut changer. Et c'est cette idée qui nous tient la tête hors de l'eau.

C'est quoi, les formes allongées à cinquante mètres au milieu du chemin ?

Un troupeau de... bouquetins !

C'est pas possible ! Ils ont payé des animaux figurants, comme dans les parcs d'attractions. On nous sort le grand jeu. Dans un ensemble parfait, nous nous transformons toutes les trois en statues.

À vue de nez, ils sont dix.

D'un commun accord nous commençons à approcher mini-pas par mini-pas, comme des petites geishas.

Tout se passe bien. Je sors mon appareil photo avec une économie de mouvements et de bruit que m'envierait la lionne la plus habile de la savane en pleine chasse, et je filme notre avancée. Petit coup de zoom... C'est merveilleux, j'ai l'impression de pouvoir les toucher. Le plus majestueux a les cornes aussi grandes que son corps et recourbées vers l'arrière. Ce doit être le chef.

Je sors de derrière mon objectif pour me rendre compte du chemin parcouru.

Nous sommes très près et continuons à avancer.

Dix mètres, cinq mètres, trois mètres... C'est le monde à l'envers, ça fait cinq minutes qu'on avance comme des fourmis et maintenant que nous sommes à côté d'eux, ils ne nous calculent même pas !

Bon, je m'arrête là, je ne les connais pas moi, ces bestioles, je n'ai pas trop envie de les provoquer.

Après tout, ils sont chez eux.

— Euh ! Excusez-moi, messieurs dames (je préfère rester polie, je ne suis pas vétérinaire mais je pense qu'il doit y avoir quelques femelles parmi eux et je ne voudrais pas les vexer), auriez-vous la gentillesse de nous laisser poursuivre notre chemin ?

Rien. Bon, ben... On est aussi bien là ! Hein ? Je vais en profiter pour faire quelques clichés. À cette distance, je peux tenter des portraits et même quelques très gros plans. Je n'en reviens pas, je suis sûre que personne ne nous croira.

Ah ! Pudique, l'animal ! Le chef se lève nonchalamment, s'étire... Je vais en profiter pour faire quelques pas en arrière, je ne voudrais pas gêner.

— Comme courageuse, tu te poses là ! ricane Diablotin.

— Eh ! T'as jamais vu *Les Oiseaux* d'Hitchcock ? Tu

sais, le film où les oiseaux se révoltent et attaquent les hommes...

— Non, mais t'inquiète pas, ils l'ont pas vu non plus.

— Très drôle, n'empêche que moi je l'ai toujours en tête, ce film, et excès de prudence ne nuit pas. Je n'aimerais pas me mesurer à leurs cornes.

Nous attendons sagement que la colonne s'ébranle.

Ils choisissent de partir par la falaise. Ben voyons ! C'est juste en à-pic vers l'amont, ils bluffent !

Qu'est-ce que ça peut être macho, un animal.

— Oui, oui, t'es beau, pas la peine de faire ton malin, t'arriveras jamais à grimper là... Excusez-moi, j'ai rien dit !

Je croyais qu'il n'y avait que les mouches pour faire un truc pareil.

— Je peux voir sous vos semelles ? Non ? OK, je vous crois sur parole.

Ce que je viens de voir défie les lois de la pesanteur.

Le corps à la verticale poussant sur ses gros cuissots, sans effort apparent et presque au ralenti, le chef vient de grimper ce que je mettrais cinq minutes à parcourir en varappe, et encore je ne m'y risquerais pas.

Notre route libérée, nous repartons, suivies en parallèle par nos compagnons cornus. C'est incroyable.

C'est une réserve dans laquelle nous sommes nettement en minorité.

— Dites-moi ! Comme tout le monde est de sortie, il n'y a pas d'ours dans cette montagne par hasard ?

— Non, juste des fleurs rares, dit Patricia en me montrant un edelweiss.

Vous voyez, j'étais sûre que vous ne me croiriez pas. Je vous jure que je n'ai rien touché du syndicat d'initiative. C'est vraiment joli et fragile mais attention, on ne cueille pas, c'est une fleur protégée.

— Vas-y, me tente Diablotin, elle n'est pas si rare que ça et fera très bien dans ton herbier.

— D'abord, j'ai pas d'herbier et puis, c'est interdit ! On vient de te le dire.

— Si tu la cueilles pas, c'est le bouquetin, qui va la becqueter.

— Tant pis, c'est la chaîne alimentaire.

— Elle ne vivra pas longtemps.

— Bon, maintenant, ça suffit, j'ai une conscience et si on me dit de ne pas la cueillir il doit y avoir une bonne raison.

— Si ça se trouve, celui qui passera derrière toi, il sera moins regardant avec sa conscience. Et puis personne ne le saura...

— Stop, Diablotin ! Tu te rends compte qu'à cause de réactions comme la tienne, on finit par se retrouver avec un flic dans le dos de chaque citoyen et des lois pour tout régenter ? Il faut se prendre en main. À tous les niveaux. Moi j'ai plaisir à me dire que la personne qui prendra ce chemin dans les heures qui suivront verra cette fleur et ressentira la même émotion que moi. Si elle est assez conne pour la cueillir, c'est dommage, mais je refuse de me conduire comme elle.

Quand je vois cette nature, ces arbres, cette eau couler du glacier, j'ai envie de pleurer. Pas de tristesse mais de joie devant tant de beauté. Ça peut paraître cucul, mais c'est comme ça.

Et puis, j'ai envie de pleurer sur la connerie de l'homme et sur son égoïsme. Si un jour la Terre devait mourir et qu'on lui colle une épitaphe je vote pour « Après moi le déluge ».

C'est vrai que, comme tous, je suis une mauvaise élève. Mais je m'applique à changer. Nous ne comptons pas pour beaucoup dans la fourmilière, mais il y a nos enfants et les enfants de nos enfants.

Quand j'avais sept ans, mon père, qui devait disparaître moins de trois ans plus tard et se savait condamné, m'a prise sur ses genoux et a tenté de me parler de la mort. Sur le coup, je n'ai pas compris grand-chose, mais les années passant, les mots ont ouvert des brèches dans mon cœur et j'en ai gardé ceci : la seule chose dont nous sommes sûrs en naissant, c'est que nous allons mourir, mais on ne meurt jamais quand on a des enfants. Ils sont notre part d'éternité, notre prolongement. Si on ne croit pas en Dieu, ne pourrait-on au moins croire que ce que certains appellent l'âme est le prolongement de la pensée de nos parents, et faire en sorte qu'ils soient fiers de nous ?

Alors comportons-nous comme des adultes, avec notre seule conscience comme garde-chiourme et luttons contre la facilité de nos démons.

— Et maintenant, Diablotin, laisse-moi admirer ces petits bouquets de fleurs bleu vif et marcher dans le premier névé.

Une petite bataille de boules de neige, histoire de se rafraîchir ? On doit être tout près du glacier. Alors je prendrai deux boules : fraise-vanille.

Je vous l'avais dit que je n'étais pas guérie...

Tiens, des gens qui redescendent ! Ce sont des habitués qui viennent de faire un trip de quelques jours en mangeant et dormant dans les refuges. Je ferais bien ça, moi, un jour.

Nous sommes à dix minutes de notre but. Nous avons mis trois heures pour monter, mais en flânant.

Je fais attention car je ne voudrais pas que nous soyons surprises par la nuit et elle tombe encore assez tôt.

Moi qui croyais être au bout de mes surprises, le dernier virage nous en réserve encore une. Une autre vallée, encore plus somptueuse que la dernière, comme accrochée au glacier. Elle nous attend.

Trois petites Heidi courent gaiement vers le torrent qui la traverse.

Les deux refuges en bois sont prêts à nous accueillir, mais Patricia et moi leur préférons la fraîcheur de l'herbe et Isabelle un gros rocher plat. Je suis allongée et le glacier me surplombe de toute sa blancheur aveuglante. Fermons les yeux un instant et profitons du silence bruyant de la nature.

Après quelques bonnes minutes d'immobilité, une

sensation de présence étrangère me fait tourner doucement la tête.

J'ouvre les yeux. Quelle agitation ! C'est les soldes chez les marmottes ?

Nous prenant pour de gros champignons, elles ont repris leurs activités. Un champ de marmottes. Je ne peux même pas les compter. Elles courent, batifolent, se culbutent, rentrent dans les terriers, ressortent.

Isabelle et Patricia les ont vues comme moi. Nous n'osons pas bouger, même pour saisir nos appareils.

Tant pis, nous imprimerons notre souvenir.

C'est très amusant, une marmotte.

Celle-là doit me prendre pour un champignon hallucinogène, car elle se tient face à moi, immobile, et me scrute. J'ai du mal à me retenir de rire. Erreur, c'est l'intellectuelle du groupe, elle a compris que les tas de toutes les couleurs ne faisaient pas partie du paysage et sonne la retraite.

Qu'importe, j'en ai plein les mirettes. Plus, ce ne serait pas raisonnable. Et puis il ne faut pas tarder. Je ne vais pas les poursuivre en leur criant que c'était dans le forfait et qu'il faut revenir pour faire la photo.

Allez ! On avale le goûter et on rentre.

Le chemin du retour nous offre une vue vertigineuse sur la vallée. Le village dont nous sommes parties n'est encore qu'un tout petit point.

Pour la descente, il n'y a qu'à se laisser glisser et se

retenir. Très bon pour les fessiers et beaucoup plus rapide que la montée.

Moins de deux heures plus tard, nous nous rafraîchissons de quelques boissons achetées au patron du refuge et nous repaissons une dernière fois de la magie du lieu au soleil rougissant.

Je quitte cette montagne comme on quitte une nouvelle connaissance avec qui on vient de se découvrir de grandes affinités : la larme à l'œil, en lui jurant que c'est n'est qu'un au revoir... et que la prochaine fois on lui présentera sa famille et ses amis.

Quel beau bouquet final, pour une semaine riche en apprentissage !

Vous en savez autant que moi, et je ne pense pas me tromper en disant qu'on se sent déjà mieux, en tout cas sur la bonne voie.

Pour la deuxième semaine, ce sera quartier libre, vous êtes grands maintenant, il faut vous prendre en main.

Vous savez ce qu'il faut faire : bouger, boire et manger équilibré.

Vous avez fait vos courses pour la semaine ? Non ! Alors, courez-y dès que possible.

Moi je vous attends vendredi 11 heures, chez le médecin, pour la visite de sortie. Oui, ça ne fera pas quinze jours mais onze, je sais compter. Seulement c'est comme ça, les visites, c'est le vendredi.

Je ne me pèserai pas avant, promis. Bien sûr que je

tiendrai bon ! Mais vous aussi, hein ? Je vous fais confiance.

Pour moi, ce soir, ce sera bain chaud, huiles relaxantes et dîner dans ma chambrette.

Et il ne faudra pas me bercer pour que je fasse de beaux rêves.

– XIII –

FEUILLE DE ROUTE POUR L'AVENIR

Bravo, vous êtes à l'heure ! J'apprécie beaucoup. C'est vrai, c'est agréable de pouvoir compter sur les gens, et de plus en plus rare.

Alors ces quelques jours se sont bien passés, pas trop craqué ? Moi, ça va, seulement je n'ai pas autant de mérite que vous. Ici, c'est facile.

Dès demain, je replonge dans la vie, sans filet, mais avec un moral d'acier.

Allez, on y va ?

— Bonjour, Docteur !

J'ai le cœur qui s'emballe comme si j'allais chercher mes résultats du bac. Secrètement, je me suis fixé une moyenne. Je sais que ce n'est pas bien, mais si je pouvais avoir perdu, disons, quatre, cinq kilos, ce serait encourageant.

Qu'est-ce qu'il attend, il va me faire marner long-temps ? Il ne voit pas que, tant qu'il ne m'aura pas pesée, mon esprit ne sera pas disponible.

Il en prend des gants pour m'expliquer ce que je sais déjà.

— Vous savez que le poids n'a pas vraiment d'importance, et que ce qui importe, c'est l'indice de masse grasse...

— Oui, oui, je sais, mais combien j'ai perdu ?

— Mais pesez-la, Docteur, lui souffle Angelot. Elle a buggué sur son poids, vous voyez pas ?

Il a compris, et me voilà sur cette machine qu'en temps normal je fuis.

Attendez, je n'ai pas enlevé ma montre... Ni ma perruque... Ni ma jambe de bois.

Bien sûr, je blague ! Mais je la retire quand même, elle me gêne.

La balance est un modèle vétuste, mais très précis. Celui avec les poids que l'on bouge sur la barre transversale et avec lequel j'adorais jouer dans le cabinet de mon père. Le toubib saisit la grosse rondelle, celle des kilos, et la tire délicatement vers la gauche. Il la laisse retomber sur le même chiffre qu'à mon arrivée, la barre ne se relève pas. Je commence à me détendre.

Un kilo en moins sur la gauche, toujours rien, un autre rien, un autre et encore un autre... Un petit dernier pour la route, et la barre passe de l'autre côté.

Génial, j'ai perdu plus de quatre et moins de cinq kilos. Je me retiens de sauter de joie, je ne voudrais pas tout casser.

Moins quatre kilos et sept cents grammes, annonce le docteur.

Dans ma tête, j'ai déjà arrondi à cinq. Autant dire mention très bien et félicitations du jury.

— Maintenant, il faut continuer, mais moins rapidement pour ne pas craquer, ajoute-t-il.

— Comment ça, moins rapidement ?

— Je vous passe à 1 200 Calories pendant une semaine, puis à 1 500 jusqu'à ce que vous ayez récupéré votre poids de forme. Vous allez continuer à perdre, mais environ deux cents grammes par semaine, ce qui est la norme pour ne pas reprendre.

— Mais je pars dans quinze jours au festival de Monaco et j'aimerais tant remettre mes petites robes ! Si j'étais restée ici une semaine de plus, j'en aurais encore perdu au moins deux. S'il vous plaît, juste un peu plus vite.

— Bon, d'accord, dit-il convaincu par mon air désespéré. Je vous laisse encore à 1 200 pendant quinze jours, mais pas plus longtemps, vous me le promettez ?

Promis, juré ! Croix de bois, croix de fer, si je mens... Quoi ? Me regarde pas avec cet air-là, Angelot ! Quand je promets, je promets ! Cette fois, j'ai bien décidé d'aller au bout de ma démarche. Je vais tenter de suivre les indications du médecin, car mon but, c'est de ne pas reprendre et de ne plus faire n'importe quoi. Je n'ai pas l'intention de retomber dans mes travers d'antan. Les privations idiotes, les cures de protéines, les régimes dissociés, c'est bien fini, ne t'inquiète pas.

Le bon docteur me donne donc la fiche de mon régime à 1 200 Calories. C'est pas loin de celui à 1 000.

RÉGIME À 1 200 CALORIES

Le matin
Rien ne bouge. Et c'est bien pour moi, ça me suffit.

À midi
- 1 part de crudités avec 10 g d'huile. (Waou ! Le double, comme vous y allez !)
- 100 g de viande ou 120 à 150 g de poisson.
- 200 g de légumes verts.
- 100 g de féculents cuits.
- 1 yaourt 0 % et 1 fruit.

Le soir
- 100 g de viande ou 120 à 150 g de poisson.
- 250 g de légumes verts.
- 40 g de pain.
- 5 g de beurre ou 10 g de crème.
- 1 yaourt 0 % et 1 fruit.

Ça ne devrait pas être trop dur à suivre.
Et dans quinze jours, je passe à 1 500 Calories.
Faites voir !

RÉGIME À 1 500 CALORIES

Le matin
— On passe à 60 g de pain et 20 g de beurre.

À midi
— J'ajoute 30 g de fromage (1 portion) et 40 g de pain.

Le soir
— 100 g de féculents en plus.

Vu que les portions augmentent nettement et que la sensation de faim se fait moins sentir, c'est bien, je vais pouvoir tenir pas mal de temps à ce rythme.
— Et je vais continuer à maigrir ?
— Oui, d'environ deux cents grammes par semaine. Plus ou moins, en fonction de ce que vous allez avoir comme activité physique.
— Et quand j'aurai atteint mon poids ?
— Là, vous passerez à 2 000 Calories par jour, ce qui est le régime de reprise.
— Reprise de poids ?
— Mais non ! rigole-t-il : reprise de vie normale.

Régime à 2 000 Calories

Le matin
— On passe à 80 g de pain, ce qui équivaut à un petit pain du commerce, et 20 g de beurre.

À midi
— 200 g de féculents, 60 g de pain et 1 verre de vin, que je boirai à votre santé.

Le soir
— 150 g de féculents et 60 g de pain.

Énorme, pour ne pas dire gargantuesque.

— Je crois que j'ai tout bien compris, et quand je vais au resto, j'essaie de ne pas saucer, de choisir des plats que je peux manger, et le soir je compense en mangeant moins gras. C'est ça ?

— Absolument, confirme le docteur. Il est préférable d'aller au restaurant tous les jours, si on ne peut pas faire autrement, que de sauter un repas ou de grignoter n'importe quoi toute la journée. De même qu'il est plus intelligent, si on y va une fois de temps en temps pour se faire plaisir, de ne pas choisir un menu mais plutôt une entrée légère, genre salade verte, un plat plaisir comme un gigot d'agneau-gratin dauphinois et une salade de fruits. Ou une entrée plaisir, plus un plat et un dessert léger. Comme une assiette de charcuterie-salade et un fruit.

» Si vous craquez sur un foie gras, vous faites suivre par un poisson vapeur, légumes.

» Vous devez pouvoir aller partout, mais il est bon de savoir ce qu'il est préférable d'éviter. Dans les brasseries, ne lorgnez pas du côté des sandwichs charcuterie ou fromage, ni sur les plats spécial brasserie, avec des frites : vous allez vous faire du mal.

» Si vous ne pouvez manger autre chose qu'un fast-food, dirigez-vous vers un hamburger simple ou un cheeseburger, et évitez tous les autres sandwichs et les beignets de poulet et de poisson. Je ne vous parle même pas des frites, c'est évident.

Il me tend une feuille. Qu'est-ce que c'est ? Un menu type fast-food, justement.

– Double hamburger.
– Frite moyenne.
– Glace au coulis de caramel.
– Coca-cola moyen.

Et ça donne, en Calories... Non ! C'est pas vrai ! C'est énorme ! 1 321 Calories. Et surtout cinquante grammes de lipides.

Dans les pizzerias, on ignore les pizzas type trois fromages, les pâtes en sauce à base de crème, les gratins de pâtes et les tomates-mozzarella à l'huile d'olive.

Eh oui, elle est trompeuse, la mozzarella, elle a l'air

inoffensif comme ça, mais elle est extrêmement calorique. Je sais, c'est dur à entendre, moi aussi je l'adore.

Est-ce que j'ai besoin de continuer la liste des restaurants du monde entier ? Vous avez tous repéré qu'il y a certains aliments, comme le fromage, qu'il vaut mieux ne pas fréquenter en période d'amincissement. Après, quand on y aura droit, si vous tentez un gratin, il suffira de ne pas manger votre portion de chèvre ou de camembert en plus.

On se dirigera donc naturellement vers des plats pas trop composés. Pas frits, de préférence, donc pas de nems ni de beignets.

Il n'y a qu'un type de restaurant où il n'y a aucune contre-indication, c'est le japonais. Si toutefois on se contente de manger huit pièces de sashimis, sushis ou makis et une demi-mangue ou des litchis en dessert, tout va bien.

Ça tombe bien, j'en raffole.

— Et si j'ai un week-end gastronomique, je décline l'invitation ? Parce que je ne me vois pas en train d'étudier les plats de près ou de faire la fine bouche.

— Mais non, vous y allez, me répond le toubib.

Je le savais, mais je voulais en être sûre. Sauf qu'il ajoute :

— Si vous avez été raisonnable, c'est-à-dire que vous vous êtes contentée de manger un peu de chaque plat sans excès, vous faites en sorte que les repas suivants soient sans ajout de gras et sans féculents.

— Et si on craque vraiment, on se fouette au sang et on pleure toutes les larmes de son corps ?

— Non, pas vraiment ! Refaire une journée de protéines suivie d'une journée à 1 000 Calories, puis une journée à 1 200, et puis reprendre votre vitesse de croisière à 1 500 suffira amplement, pas la peine de vous fustiger. D'autres questions ?

Oh certainement, mais là tout de suite elles ne viennent pas. J'ai le sentiment d'avoir fait le tour du problème, et puis je n'ai plus peur.

Plus peur de la nourriture, ça c'est une première !

Je vais pouvoir regarder un jambon de Bayonne droit dans la graisse et ne pas lui déclarer la guerre. Pouvoir lui expliquer que je veux bien le fréquenter, l'accueillir à ma table, ne pas le voir en cachette et en culpabilisant.

Je vous le disais, c'est mental.

N'ayez plus peur de céder à la tentation.

Ce qui est permis n'est pas mal, et ce qui n'est pas mal n'est plus une tentation. Et si vous vous passez une petite envie, vous compensez le lendemain en diminuant le gras, les féculents, le sucre, selon votre (petit !) excès de la veille.

Je n'aurais jamais cru que dix jours pouvaient suffire pour me réconcilier avec mon corps.

Je rentre à Paris avec une autre image de moi.

En apparence, on ne s'en rend pas encore bien compte. Si on s'en tient aux centimètres de chemin parcouru. Malgré tout, le pantalon flotte un peu, la démarche est plus alerte, les joues sont peut-être un peu plus creusées, mais si on fouille du côté des neurones, la surprise est de taille XXL : la programmation de la descente y est inscrite clairement. Plus fiable que les annonces gouvernementales en ce qui concerne les estimations annuelles du taux d'inflation.

— Je ne vous embrasse pas, Docteur, mais le cœur y est.

Pardon, vous dites ? D'accord pour que je ne vous embrasse pas mais ?... Je vous paie !... bien sûr et content.

Non, ce n'est pas une faute d'orthographe et ça marcherait mieux si j'étais un garçon, je sais. Mais je tuerais père et mère pour un bon mot. Alors changer de sexe... facile !

Et maintenant, si vous le permettez, je cours voir mes copines. J'ai hâte de leur apprendre la nouvelle. On ne boira pas le champagne, quoique, si on se fait une petite coupe à chaque kilo perdu, c'est pas un drame. Et pour finir on ira féliciter notre chef, qui y est quand même pour quelque chose, et on essaiera de lui soutirer encore quelques petits tuyaux.

C'est de bonne guerre.

J'appelle Isabelle et Véronique, elles décident de venir boire le café avec nous. Elles aimeraient bien profiter du charter pour les cuisines.

Notre table joyeusement bruyante est devenue un must de l'endroit et cette gaieté s'est propagée dans toute la salle. Les gens se parlent, s'interpellent, rigolent.

*
**

Nous venons de nous éclater avec une blanquette de veau accompagnée de petits légumes et je me demande bien comment ce plat peut être au menu d'un restaurant diététique. C'est quoi le plan ? Le cuisinier a pour ordre de nous faire tout reprendre avant le départ ? Ils ne peuvent plus se passer de nous ? On est de trop bons clients ?

Ça me rappelle ce film américain qui se passait dans une cure d'amaigrissement. Au début, une énorme femme blonde peroxydée, coiffée à la Marilyn, surmaquillée et qui n'était pas le personnage central de l'histoire, descendait de voiture habillée en rose fuchsia avec un petit chien dans les bras et se rendait à la réception de l'hôtel.

Le film passait sans qu'on ne la revoie et, vers la fin, dans le même décor, nous retrouvions cette dame blonde, en rose fuchsia, toujours avec son petit chien pour bien l'identifier et devenue aussi mince que Kate Moss, en train de demander son addition. La réceptionniste lui conseillait d'aller se restaurer pendant qu'on la lui préparait... Et dans la scène suivante, on la revoyait sortir de l'hôtel aussi énorme qu'à son arrivée.

Ça m'avait fait mourir de rire. C'est tout à fait mon genre d'humour. J'adore les films où une action parallèle souvent plus drôle que la première se déroule à l'arrière-plan comme dans *Top secret*. Je ne sais pas si vous l'avez vu, mais vous connaissez certainement le film des mêmes réalisateurs qui a suivi, *Y a-t-il un pilote dans l'avion ? Top secret* est encore plus drôle et plus inventif.

Voilà les copines !

On file en cuisine et on se boit le café après, je ne voudrais pas rater le chef.

Je fais bien attention de choisir la bonne porte. C'est traître, les portes de cuisine, la dernière fois, j'ai failli envoyer valdinguer toute la vaisselle qui en sortait. Un battant pour entrer, un battant pour sortir. Faut juste le savoir.

— Bonjour, on peut entrer, on ne dérange pas ? dis-je, de ma plus belle voix sirupeuse.

— Il ne va pas te dire non, et tu le sais très bien, mauvaise fille, dit Angelot.

Il a raison. Je déteste les gens qui s'imposent en disant : « Je m'assois, ça ne vous gêne pas ? » Et je fais pareil.

Remarquez, des fois c'est plutôt amusant.

Je me rappelle cette femme qui, ayant vu des gens s'approcher de moi pour me parler pendant que je dînais seule, au milieu de mes camarades, avant d'aller jouer au théâtre, est venue me tenir la jambe pendant une demi-heure en me disant que les gens étaient pénibles de venir m'importuner comme ça, que je devais en avoir marre, qu'ils ne savaient plus se tenir. Moi, c'est le fou rire que j'avais du mal à retenir.

Elle avait commencé comme moi.

— Bonjour, je ne vous dérange pas ?

Bon, moi, je n'avais pas répondu : « Pas du tout, entrez ! » comme il vient de le faire. C'est vrai que c'est un peu cavalier, mais je veux savoir ce qu'il a mis dans sa blanquette.

Je l'attaque bille en tête.

— Police des vérifications d'ingrédients. Alors, on a changé de catégorie ce midi, on est passé à « prendre du poids à Brides ». Vilain canaillou ! Avoue, dis-moi ce que tu as mis dans ta blanquette, c'était trop bon.

Il n'est pas peu fier qu'on ait apprécié.

— Ce n'est pas très compliqué, fait-il, modeste. Vous faites bouillir vos morceaux de veau avec des épices et un bouquet garni pendant une heure et demie. Vous ajoutez les légumes au bon moment pour qu'ils ne soient pas trop cuits. Vous séparez le bouillon. Dedans vous faites cuire un chou-fleur en morceaux puis vous le mixez dans le bouillon pour obtenir une sauce onctueuse, comme une sauce de blanquette que vous remettez avec la viande. Ça fait un plat à environ 230 Calories par personne.

— Et vous avez une recette spéciale pour le bœuf bourguignon, par exemple ?

— Bien sûr, je le mets souvent à la carte, mais dans les périodes hivernales.

— Comment vous procédez ?

— Vous faites chauffer dans une cocotte 1 cuillerée à café d'huile d'olive, 100 g de bacon coupé en petits bâtonnets et 1 oignon émincé.

» Vous y faites colorer la viande puis vous la réservez.

» Vous diluez 2 cuillerées à soupe de Maïzena dans 20 cl de vin rouge – c'est à peu près deux petits verres –, que vous portez doucement à ébullition dans la marmite en remuant.

» Vous remettez les morceaux de viande avec de l'ail, des aromates, 200 g de carottes coupées en rondelles. Vous salez, poivrez et vous laissez cuire doucement. Dix minutes avant de servir, vous ajoutez 400 g de champignons de Paris émincés.

Très bien, c'est noté.

Je lorgne du coin de l'œil vers quelques croquis en couleurs étalés sur le bureau.

– C'est vous qui faites ça ?

– Oui, ce sont mes notes. Les croquis, c'est pour la présentation.

Joli ! Il a un talent certain. Comme les couturiers qui dessinent leurs collections, il dessine ses plats.

Bien des métiers manuels sont des métiers artistiques quand ils sont pratiqués avec passion. C'est dommage qu'ils ne soient pas plus mis en valeur. Êtes-vous déjà allés chez un ébéniste qui restaure les marqueteries ? C'est magique.

Mon grand-père était artisan : vitrificateur de parquet. Eh oui, c'était un métier à part entière. Je ne vous parle pas de ce qu'on appelle aujourd'hui la vitrification et qui n'est en fait qu'une vulgaire pose de vernis. Non ! Lui ponçait, vernissait, lustrait, et reponçait, relustrait et rerelustrait jusqu'à obtenir un résultat qui durait des lustres et qui résistait à tous les talons et autres charges de cavalerie enfantine. Rares étaient les clients qui le rappelaient pour la même chose. Je me souviens de lui rentrant satisfait du travail accompli. À chaque fois il en parlait comme d'une œuvre, et c'en était une.

Chez moi, on a paraît-il vitrifié mon parquet il y a quatre ans, et tout est déjà à refaire.

Bon, je ne vais pas radoter sur le passé, mais avouez que ça fait mal au cœur de se dire que beaucoup d'artisans ne trouvent pas repreneur de leurs échoppes alors qu'il y a tant de gens sans travail.

Oh ! C'est quoi, cette terrine ?

FEUILLE À FEUILLE D'OMELETTES AUX MILLE SAVEURS

Pour 6 personnes (160 Calories par personne)
- 12 œufs
- 100 g de champignons de Paris
- 100 g de tomates concassées, ciboulette, thym et 1 cuillerée à café de concentré de tomates
- 1 cuillerée à soupe de pâte de curry
- 50 g d'épinards en branches
- 50 g de saumon fumé et 1 pincée de safran
- 100 g de petits pois et 1 cuillerée à soupe de basilic ciselé

On sort 5 bols pour préparer 5 omelettes. On casse 2 œufs par bol et on fait cuire les omelettes une par une en les superposant sur une assiette au fur et à mesure.

La première avec les champignons. La deuxième avec les tomates concassées, le thym, la ciboulette et la cuillerée de concentré de tomate. La troisième avec la pâte de curry. La quatrième avec les épinards en branches. La cinquième avec le saumon fumé et le safran.

Graissez légèrement une terrine adaptée au volume des 5 omelettes superposées. Placez les omelettes dedans, puis versez dessus les 3 œufs qui restent, battus avec les petits pois et le basilic. Aidez les œufs à bien se propager dans la terrine.

Couvrez hermétiquement avec du papier de cuisson et faites cuire au bain-marie pendant 1/2 heure. Pour vérifier que c'est bien cuit, enfoncez la lame d'un couteau dedans, si elle ressort sèche, c'est bon.

C'est une sacrée entrée, ça !

Merci, c'est trop sympa. Je sens bien qu'il faut qu'on y aille. Il ne doit pas avoir que ça à faire.

— Mais je ne vois pas la petite pâtissière si charmante, et je lui avais apporté sa photo dédicacée comme promis.

— Laissez-la-moi, je lui donnerai. C'est son jour de congé. Mais elle a laissé ça pour vous, pensant que vous alliez passer, me dit notre chef en me tendant une feuille.

Je jette un œil, c'est la recette du cheese-cake aux fruits rouges qu'elle m'avait promise.

Je ne la lis pas tout de suite, je ne voudrais pas abuser

de l'hospitalité de notre cuisinier. On fera ça tout à l'heure devant un bon café.

Pour le moment, on prend la pose, il a apporté son appareil. On se dit au revoir. Hé oui, déjà demain le départ !

Et pour lui bientôt les vacances ?

— Oh non, les thermes ferment seulement de début novembre aux fêtes de Noël.

— Bon été quand même !

Moi cet été, je serai en Corse, comme d'habitude. Je retrouverai tous les amis. J'ai trop hâte d'y être.

En plus, si je suis sérieuse et que je compte bien, il me reste trois ou quatre mois avant les vacances, à raison de un kilo par mois, ce qui est vraiment possible, j'en aurai quatre de moins, donc j'en serai, minimum, à moins neuf, c'est-à-dire, deux tailles ou presque, donc je ne serai pas loin du 42.

Ouais ! Et quand je reprendrai les tournages de *Julie*, en septembre, encore moins deux ou trois, et là ce ne sera pas loin d'être le top.

Trop contente !

Surtout qu'en été, aucune excuse en ce qui concerne le sport. C'est facile de se bouger, il ne fait pas froid. Enfin, logiquement, parce que si c'est aussi pourri que l'année dernière, il va falloir sortir les cirés.

D'un autre côté, le plastique fait transpirer.

Vous avez vu, quand j'ai décidé d'être positive, je ne fais pas les choses à moitié.

– Oui, pour moi ce sera un allongé.

Allez, je ne vous fais pas attendre plus longtemps. Je vous lis la recette du cheese-cake aux fruits rouges et à l'eau de rose.

Oh ça me fait penser à une histoire... Mais non, je ne vous la dis pas elle est... C'est pas que ça me fasse peur, je suis assez triviale, mais comme ça au milieu d'une recette de cuisine... Quoique moi ça ne me dérange pas.

Bon d'accord ! Ceux que ça n'intéresse pas se bouchent les oreilles. C'est le mot « eau de rose » qui m'y a fait penser.

Est-ce que vous savez ce que c'est qu'un pur hasard ? Non ?

Eh bien, pour obtenir un pur hasard, il faut se lever très tôt un matin, partir dans la montagne avec un savon et une serviette parfumés à la rose. Tu cherches une source très haut pour qu'elle soit le plus pure possible, tu te laves délicatement les mains dedans avec le savon à la rose. Tu t'essuies les mains avec la serviette à la rose, tu prends ton index, tu te le mets dans le cul, tu le sens et si ça ne sent pas la merde, c'est un pur hasard.

Poétique, non ?

Ah, je vous l'avais dit ! On ne peut pas toujours faire dans le bon goût.

Ça vous a coupé l'appétit ? Quand même pas ! Et puis, si c'est le cas, tant mieux, il faut voir le bon côté des choses.

Moi j'ai été élevée en salle de garde quand j'étais petite

et que mon père était interne. Les mots ne m'ont jamais fait peur et j'aime même beaucoup les réactions que cela provoque chez les gens que je croise. Les plus offusqués ne sont pas toujours ceux qu'on croit et bien souvent ceux que l'on pensait ouverts d'esprit se révèlent les plus étriqués. C'est vrai, cela fait un peu provoque, mais face aux langues de bois, c'est ma seule arme.

Alors prêts à entendre la fameuse recette ?

CHEESE-CAKE AUX FRUITS ROUGES ET À L'EAU DE ROSE

Pour 6 personnes (100 Calories par personne)
- 200 g de biscuits secs
- 50 g de beurre
- 500 g de fromage blanc à 20 %
- 5 cl de lait
- 80 g de sucre
- Extrait de vanille
- 6 feuilles de gélatine
- 6 gouttes d'eau de rose
- 250 g de crème fouetté à 25 %
- 500 g de fraises et 150 g de fruits rouges (framboises...)
- 150 g de coulis ou de purée de fruits rouges

Écrasez les biscuits en poudre, mélangez-les au beurre ramolli et en tapissez-en le fond d'un moule à bord haut ou d'une terrine.
Disposez les fraises coupées en deux sur les rebords du moule, la pointe en haut puis mettez au frais.

Faites ramollir 4 feuilles de gélatine. Chauffez le lait dans une petite casserole.

Dans un bol, mélangez le fromage blanc, le sucre, la vanille et l'eau de rose.

Égouttez les feuilles de gélatine, faites-les dissoudre dans le lait tiède et mélangez petit à petit au fromage blanc.

Ajoutez la crème fouettée et les fruits rouges en mélangeant doucement avec une spatule souple. Versez dans le moule et placez-le au réfrigérateur.

Chauffez un peu de coulis de fruits rouges, ajoutez les 2 dernières feuilles de gélatine, remuez puis ajoutez au reste du coulis. Versez sur la terrine et remettez au frais 2 heures.

Régalez-vous et appelez-moi pour goûter.

Je vais m'éclater cet été.

La cuisine, ce n'est pas trop mon fort, mais je vais m'y mettre.

Vous faites quoi cet aprèm, parce que moi, j'ai quartier libre, j'ai fait mes derniers soins ce matin.

Isabelle et Véronique vont à Salins, tremper dans la boue. Elles restent encore une semaine.

Dorine a des soins. Il n'y a que Patricia qui soit libre comme moi.

— Et si, pour une fois, on ne faisait rien et qu'on se

dorait la pilule au soleil, histoire de rentrer avec une mine à faire pâlir d'envie ? propose-t-elle.

– Oui, mais une petite balade auparavant, ne commençons pas à exceptionnellement ne rien faire, parce que je me connais, moi, d'exception en exception, ça devient vite la règle, et c'est reparti pour un tour.

– OK !

Patricia est toujours partante. Décidément, je m'entends bien avec elle. Elle est tellement enthousiaste quand elle parle de sa ville, du plaisir qu'elle a d'y vivre, de sa famille, de ses amis et des virées qu'ils font ensemble. C'est la reine du texto, alors que moi je suis l'impératrice du mail. Elle en envoie à n'importe quelle heure du jour ou de la nuit pour dire ses impressions du moment.

Notre petite bande met sur pied des retrouvailles comme de vieux copains de combat. C'est décidé, tout le monde se réunira au restaurant de mon frère pour rigoler, bien sûr, et pour constater les résultats des efforts de chacune. Il ne reste plus qu'à fixer la date exacte. C'est Patricia qui s'en chargera. Elle est toujours en déplacement et doit en faire un bientôt sur Paris et sa région.

C'est bon de se dire que tout ne s'arrête pas comme ça, d'un coup. Je ne supporte pas les séparations. J'aime bien me dire qu'il y a un lendemain.

C'est un peu comme avec vous. Il va bientôt falloir se séparer et je ne sais pas comment vous quitter, vous aussi êtes devenus mes amis. Même si vous n'avez pas trop de repartie, il faut bien le dire.

Comment ça, vous rongez votre frein ? Vous voulez dire que vous m'en sortiriez une bien bonne si vous le pouviez, ou vous me diriez votre façon de penser sur tel ou tel sujet si on vous en donnait l'occasion ?

Ne me dites pas que vous n'avez pas soufflé quelques réflexions à mes deux anges gardiens, je ne vous croirais pas. Maintenant, qu'ils ne m'aient pas tout transmis, ça je veux bien l'admettre.

Alors réfléchissons à un moyen de nous retrouver, de communiquer.

On pourrait se dire que si on se croise dans la rue on se parle, mais d'abord je ne suis pas sûre d'avoir toujours du temps à vous consacrer à ce moment précis, et vous non plus d'ailleurs, ensuite cette solution exclut beaucoup de monde.

On pourrait mettre au point un signe ou un cri de guerre, que l'on se lancerait pour se reconnaître.

On inventerait une phrase bien stupide comme quand je faisais des courses de voiture avec le Star Racing Team et le regretté Moustache. Il criait « Écureuil de... », et toute la bande de joyeux lurons répondait en chœur « branche en branche » Ou « Puma aux » et dans un ensemble parfait nous hurlions « aguets » C'était totalement idiot et c'est ce qui nous plaisait. Il nous avait inventé plein de slogans comme « Il faut savoir casser ses jouets pour en avoir des neufs » ou « Le premier qui freine est un lâche ».

Vous imaginez le bordel si demain on s'y mettait tous,

dans une salle de restaurant ou dans un cinéma. Non, on ne le ferait pas, on sait se tenir, on ne céderait pas à la tentation, pourtant ce serait si drôle.

Ne me dites pas « pas cap », vous allez me tenter.

Non, sérieusement, on n'est pas là pour empêcher les autres de vivre.

Trouvons autre chose.

On ne peut pas se faire des signes non plus, sinon tout le monde va penser qu'on a la danse de Saint-Guy.

Allons donc au plus simple, et de nos jours c'est Internet. Donnons-nous rendez-vous sur mon blog. Je ne pourrai peut-être pas répondre à chacun tous les jours, quand je bosse, c'est impossible, mais disons une fois par mois minimum. Je regrouperai les questions et j'essaierai d'y répondre le mieux possible, et puis on se donnera des nouvelles ou on se re-motivera.

J'en aurai certainement autant besoin que vous, de temps à autre. Et si vous voyez que je me relâche, vous me tirerez la sonnette d'alarme. Promis ?

Qu'est-ce que vous en pensez ? Tope là ?

Quoi ? Ah, oui, je suis bête, je ne vous ai pas donné l'adresse.

Disons qu'on se retrouve sur ma page www.my-space.com/lumio26 et si je change et que j'en crée une autre, je vous laisserai le lien pour me trouver.

Ça marche.

Allez, on bouge ! Une dernière fois la grotte aux pigeons et on rentre.

Maintenant que c'est imminent, je ne pense plus qu'à ça, rentrer chez moi. Ma famille me manque sérieusement et les heures qui me séparent d'eux m'empêchent de vivre pleinement le moment présent. Bien sûr, je les ai tous les jours au téléphone, mais ce n'est pas pareil, je suis une charnelle moi, j'ai besoin de toucher, de sentir, de serrer très fort, de passer la main dans les cheveux bouclés de mon fils.

Je suis trop impatiente.

J'entrechoque mes souliers magiques, j'ellipse, je suis dans le train, il entre en gare.

Il n'y a de si bonne compagnie qui ne se quitte.

J'ai été très heureuse que vous partagiez ce moment avec moi, vraiment.

J'espère que cela vous a réussi ou vous réussira aussi bien qu'à moi.

Bonne plage ou bonne montagne ou bon où que vous alliez.

On fait comme on a dit.

Ça y est ! Je les vois, mes amours, sur le quai, ils m'attendent, je vous laisse.

— TABLE DES MATIÈRES —

Direction littéraire
Huguette Maure

assistée de
Maggy Noël

Composition PCA
44400 - Rezé

Impression réalisée sur CAMERON par

C P I
Brodard & Taupin
La Flèche

pour le compte des Éditions Michel Lafon
en mai 2008

Imprimé en France
Dépôt légal : mai 2008
N° d'impression : 47463
ISBN 13 : 978-2-7499-0820-5
LAF 1051